University of London School of Advanced Study
Institute of Germanic & Romance Studies

To read or not to read

Von Leseerlebnissen und Leseerfahrungen,
Leseförderung und Lesemarketing,
Leselust und Lesefrust

Herausgegeben von

ANJA HILL-ZENK und KARIN SOUSA

iudicium

Dieses Buch erscheint gleichzeitig als Bd. 83 der Reihe
Publications of the Institute of Germanic Studies
(University of London School of Advanced Study
Institute of Germanic & Romance Studies)
ISBN 0-85457-207-4

Bibliografische Information Der Deutschen Bibliothek

Die Deutsche Bibliothek verzeichnet diese Publikation in der Deutschen
Nationalbibliografie; detaillierte bibliografische Daten sind im Internet über
http://dnb.ddb.de abrufbar.

ISBN 3-89129-412-3
ISBN 0-85457-207-4

© IUDICIUM Verlag GmbH München 2004
Druck- und Bindearbeiten: Difo Druck, Bamberg
Printed in Germany
Imprimé en Allemagne

Z 1003 70R

ANJA HILL-ZENK / K

To read or n

Von Leseerlebnissen und Leseerfahrungen,
Leseförderung und Lesemarketing,
Leselust und Lesefrust

Balde

Er wird dasitzen,
den Rücken gebeugt,
und den Gegenstand auf seinen Knien
anschaun.
Ihr werdet nicht wissen,
was er tut.
Ihr werdet den Rücken beugen
und die Aufschrift am Sockel
entziffern: Der Lesende.

(Uwe Kolbe)

Inhaltsverzeichnis

EINLEITUNG

Dieser Sammelband umfasst die Beiträge zweier Konferenzen, die am 22. November 2002 und am 6. Juni 2003 am Institute of Germanic Studies in London stattfanden. Ziel der Konferenzen war es, auf die außerordentliche Bedeutung des Lesens aufmerksam zu machen und in diesem Zuge für das Lesen und das Nachdenken darüber zu werben. Der Band versammelt Beiträge, in denen es um Leseerlebnisse und Leseerfahrungen geht, um Leseförderung und Lesemarketing, um Leselust und Lesefrust.

Nun stand die Bedeutung des Lesens erst kürzlich im Mittelpunkt einer heftig geführten öffentlichen Debatte, die durch die Veröffentlichung der PISA-Studie ausgelöst worden war. Diskutiert wurden in diesem Zusammenhang die Gründe für die mangelnde Lesekompetenz deutscher Schulkinder, gefragt wurde nach Möglichkeiten, wie sich die großen Mängel beheben lassen könnten, gesucht wurde nach den Verantwortlichen. Dabei bestätigte sich einmal mehr, dass die souveräne Nutzung der neuen wie der alten Medien grundlegend ist für die Teilhabe an der sich rasant entwickelnden Wissens- und Mediengesellschaft. Angesichts der wachsenden Informationsflut auf dem Buchmarkt und im Internet ist Medienkompetenz an die Fähigkeiten geknüpft, Informationen zu erfassen, zu sammeln, zu selektieren und zu interpretieren. Das heißt: Der entscheidende Faktor ist und bleibt die Fähigkeit der Menschen, das geschriebene Wort zu lesen. Nur wer lesen kann, unterliegt der sogenannten Chancengleichheit; nur wer lesen kann, kann heraus aus der „selbstverschuldeten Unmündigkeit"; nur wer lesen kann, wird auch in der zukünftigen Welt des Wissens flexibel agieren können. Es gilt daher, die Bedeutung des Lesens über PISA hinaus präsent zu halten.

Im Rahmen der beiden Konferenzen haben wir uns aus soziokulturellen und literaturwissenschaftlichen Perspektiven mit der Kulturtechnik des Lesens auseinandergesetzt und uns dabei auf den deutschen Sprachraum konzentriert. Bei der ersten Konferenz standen die Lesenden und die Frage nach ihrer Souveränität im Mittelpunkt der Diskussion, hier ging es um soziokulturelle Bedingungen des Lesens. Bei der zweiten Konferenz verlagerte sich der Schwerpunkt hin zum Verhältnis zwischen Schreibenden und Lesenden und damit zu literaturwissenschaftlichen Fragen nach den Voraussetzungen sowie der Wirkung von Literatur. Bei beiden Konferenzen strebten wir eine Mischung aus Wissenschafts- und Praxisbericht an.

Eine solche Mischung stellt der Beitrag von Gaby Hohm dar. Sie geht zunächst auf das gegenwärtige Leseverhalten der Bürger in den alten und neuen

Bundesländern ein und macht dabei auf die Stärke der durchschnittlichen Leserschaft als einem Charakteristikum des Leseverhaltens in den neuen Bundesländern aufmerksam, die offenbar auf die besondere Lesesozialisation in der DDR zurückzuführen ist (vgl. dazu auch den Beitrag von Karin Sousa). Zugleich verweist sie aber darauf, dass sich in den neuen Bundesländern nach dem Leseaufschwung der Wendezeit eine „Normalisierung" des Leseverhaltens und insgesamt in Ost und West ein Rückgang der Lesehäufigkeit verzeichnen lässt. Einig sind sich die Leser darüber hinaus, so Hohm, hinsichtlich der Erwartungen, die sie an Bücher stellen, sowie im Hinblick auf ihre Leseweisen, z.B. die Tendenz zum ‚Lese-Zapping'. Im zweiten Teil ihres Beitrags betont Hohm die wichtige Rolle einer frühen Lesesozialisation in Familie, Kindergarten und Schule und die große Bedeutung von Lesekompetenz in unserer heutigen Gesellschaft. Sie widmet sich im Folgenden den Bedingungen und Möglichkeiten der Leseförderung und des Lesemarketings und geht auf einzelne Projekte und Kampagnen der Stiftung Lesen ein.

Auch Olga Zitzelsberger macht in ihrem Beitrag auf die Bedeutung der Lesekompetenz aufmerksam. Sie weist darauf hin, dass Lesekompetenz insbesondere für die Integration in die Mediengesellschaft und die Identitätsentwicklung bei Jugendlichen eine entscheidende Rolle spielt. Dabei konzentriert sie sich auf die Lesepraxis von Hauptschulabsolventen und -absolventinnen, die sie vor dem Hintergrund ihres Herkunftsmilieus, ihres Bildungsverlaufs und ihrer Geschlechterzugehörigkeit untersucht. Das Lesen, zumal das Lesen von Büchern erweist sich, so Zitzelsberger, bei dieser Gruppe als wenig beliebte Freizeitaktivität. Offenbar steht bei der Lektüre dieser Jugendlichen primär der nutzen- und nicht der genussorientierte Aspekt im Vordergrund. Genussorientiertes Lesen kommt – wenn überhaupt – nur bei den Mädchen vor. Bemerkenswert ist in diesem Zusammenhang, dass HauptschülerInnen, deren Lesebiographien von Anstrengung und Versagen geprägt sind, die Idealvorstellung haben, Lesen müsse Lust bereiten.

Thomas Eicher hebt in seinem Beitrag hervor, dass das Phänomen der Leseunlust auch in Kreisen anzutreffen ist, in denen man sich wissenschaftlich mit Literatur beschäftigt. Durch die Notwendigkeit, wissenschaftlichen Regeln zu gehorchen, werde der unmittelbare Zugang der Leser und Leserinnen zum Text gebrochen. Die Abwertung so genannter Unterhaltungslektüre durch die Bildungsinstitutionen führe zu einer scharfen Trennung zwischen Pflicht- und Freizeitlektüre. Gefördert würde eine solche Trennung zusätzlich durch die Vorgabe eines Lektürekanons und einer bestimmten Interpretationsmethode sowie durch das System der Benotung als Ausdruck für die Qualität erbrachter Leistungen.

Sandra Pott konzentriert sich in ihrem Beitrag auf die Vermittlung professioneller Lesekompetenz als einer kulturellen Kernkompetenz im Rahmen des literaturwissenschaftlichen Studiums. Ziel dieses Studiums, so meint sie, müsse es sein, die Voraussetzungen für eine „gründliche und innovative Lektüre" zu schaffen. Sie erläutert zunächst, aus welchen Gründen sie professionelle Lesekompetenz für wichtig erachtet und was sie darunter versteht. In diesem Zusammenhang wirft sie die Frage nach der prinzipiellen Ausrichtung der Disziplin auf. Gegen den Trend der Einverleibung der Germanistik durch die Kulturwissenschaft und der Vermittlung einer „Generalkompetenz" setzt sie die Lesekompetenz ins Zentrum des fachlichen Aufgabenbereichs. Am Ende zeigt sie zur Erläuterung ihres Konzepts in „sechs Performanzstadien des Lesens" auf, was sie als Lehrende unter der Kunst des Interpretierens versteht.

Der folgende Beitrag von Anja Hill-Zenk verlagert den Schwerpunkt von der Kunst des Interpretierens hin zur Kunst des Wertens. Vor dem Hintergrund der wissenschaftlichen Debatte über die Kriterien für die Erzeugung von und den Umgang mit literarischen Kanones untersucht sie die Positionen des deutschen Feuilletons zu diesem Thema. Sie konzentriert sich hierbei auf die Debatte, die in den Jahren um die Jahrtausendwende in der *Zeit* geführt wurde. Anschließend geht sie den Fragen nach, welche Vorstellungen von der Natur des Kanons dort transportiert wurden und wie diese sich zu den wissenschaftlichen Ergebnissen der Kanon-Forschung verhalten, ferner, ob es sich bei den feuilletonistischen Bearbeitungen um Lesevorschriften oder Lesevorschläge handelt und welches gesellschaftliche Vorverständnis den Debatten zugrunde liegt.

Karin Sousa lenkt von hier aus den Blick auf das Leseverhalten in der DDR. In ihrem Beitrag geht es aus primär literatursoziologischer Sicht um die spezifischen Formen und Voraussetzungen des Lesens belletristischer Literatur im proklamierten „Leseland", in dem belletristische Literatur von kulturpolitischer Seite einen zentralen und im Vergleich zu anderen autoritären Staaten außergewöhnlichen Platz zugewiesen bekam. Sousa geht zunächst auf staatliche Maßnahmen der Förderung, Kontrolle und Restriktion des Schreibens und Lesens belletristischer Literatur in der DDR ein, um auf dieser Grundlage die Wirksamkeit der Literatur- und Leseförderung sowie der Zensur aufzuzeigen. Sie fragt darüber hinaus nach den offiziellen Vorstellungen von Literatur und Lesen, die den jeweiligen staatlichen Maßnahmen zugrunde lagen. Im zweiten Teil ihres Beitrags untersucht sie auf der Basis zweier gesamtdeutscher Erhebungen von 1992 und 2000 das Leseverhalten der dann ehemaligen DDR-Bürger während und nach der Wende, das in vielerlei Hinsicht noch immer stark von der Lesesozialisation in der DDR geprägt erscheint.

Jenseits aller Grenzen, aller „Denk- und Spielverbote" bewegt sich der Beitrag von Walter Grond, der sich aus der Sicht des Schriftstellers mit neuen Formen des Lesens auseinandersetzt und dabei den Cyberspace als Leseraum erschließt. Am Beispiel des Autors Jonathan Franzen diskutiert Grond die kulturpessimistische Haltung der konservativen Buchfraktion gegenüber der Cybergeneration. Im Gegensatz zu jenen, die dem Lesen von Büchern einen exklusiven und elitären Stellenwert beimessen und sich als „Hüter beständiger Werte" gerieren, findet Grond unter den Nerds, den Computerkids, eine größere Gelassenheit vor und einen offeneren Umgang mit neuen Medien. Für diese wirbt Grond mit seinen Ausführungen.

Auch der Beitrag von Rüdiger Görner ist der Sicht der Schriftsteller gewidmet. Görner geht darin der Frage nach, wie sich Schriftsteller den idealen Leser vorstellen und wie sie den Leser in ihren Werken darstellen. Behandelt werden Beschreibungen, die Autoren in Texten ab 1800 vom Lesen geben, sowie neuere Darstellungen des Lesens im Film. Im Gegensatz zur positiven Darstellung der Lesetätigkeit im Film *The Hours* lassen sich in den von Görner untersuchten literarischen Texten häufig Formen fruchtlosen Lesens finden. Dabei existiert die Problemsituation des Verlesens ebenso wie die des Nichtverstehens. Am Beispiel der *Buddenbrooks* wird das Scheitern der hermeneutischen Lektüre vorgeführt, die auch in anderen Texten in Erscheinung tritt: Bei Rilke entdeckt Görner zwar eine Form des Lesens, die als Durchbruch von Nichtverstehen zu Weltwahrnehmung führt und damit Veränderungen im Leser hervorbringt. Fallen dagegen, wie bei Canetti, Welt und Lesewelt des imaginierten Lesers zusammen, wird die Wirklichkeit verdrängt, scheitert am Ende auch das Leben.

Christoph Bartmann geht in seinem Beitrag der „Lesung als Ritual und Routine" nach. Im Anschluss an einen kurzen Überblick über die Geschichte des literarischen Vorlesens untersucht er verschiedene Formen der Lesung in der heutigen Zeit und verschiedene Weisen der Handhabung dieses Pflichtprogramms von Seiten der Autoren. Er hebt dabei die wachsende Beliebtheit von Lesungen hervor und stellt Überlegungen über die Gründe für diese Entwicklung an. Während die Autorenlesung aus Sicht der Verlage eine reine Werbe- und Verkaufsveranstaltung sei, stille sie anscheinend häufig das Bedürfnis des Publikums nach Intimität, nach einem ritualisierten Akt des Lesens und Zuhörens sowie nach einem „autobiographischen Bekenntnis" des Autors. Auf dieser Basis widmet sich Bartmann den Schwierigkeiten, die das Lesen für den Autor als angeblich „privilegierten Interpreten" des eigenen Werks mit sich bringt, sowie den Folgen der zunehmenden Institutionalisierung.

Reinhard Schulze-Tammena stellt in seinem Beitrag eine junge Literaturbewegung vor, die sich deutlich von den Ritualen etablierter Dichterlesungen distanziert, den Poetry-Slam. Er zeigt anhand ausgewählter Beispiele auf, was Poetry-Slam ausmacht: auf Wirkung angelegtes Vortragen eigens verfasster Texte vor einem Publikum, vielfältige Formen der Interaktion zwischen Poeten und Publikum, Wettbewerb zwischen mehreren Poeten. Anschließend zeichnet er die Anfänge der Bewegung in den USA und in Deutschland nach und beschreibt ihre zunehmende Professionalisierung und Institutionalisierung. Darüber hinaus geht er auf die verschiedenen Bedeutungen des Slam-Begriffs ein, erläutert das Selbstverständnis der Slam-Poeten sowie die Regeln der Performance und nennt wichtige Faktoren ihres Erfolgs. Die Auseinandersetzung mit solchen Formen des Kunstverständnisses generiert, wie Schulze-Tammena zeigt, nicht zuletzt neue Fragen hinsichtlich der sozialen Relevanz von Kunst in unserer Zeit.

Wir danken der Fritz Thyssen Stiftung, dem Austrian Cultural Forum London sowie dem Goethe-Institut London, ohne deren finanzielle Unterstützung die beiden Konferenzen am Institute of Germanic Studies nicht hätten stattfinden können. Unser ganz besonderer Dank gilt Professor Rüdiger Görner für seine vielfältige Hilfe, die von der Planung der ersten Konferenz bis zur Publikation der Beiträge in diesem Band reichte. James Hill und Axel Kaschner danken wir für die Assistenz bei der elektronischen Bearbeitung der Beiträge und ihre liebevolle Unterstützung.

Anja Hill-Zenk   Karin Sousa

Gaby Hohm

LESEFÖRDERUNG: SO FRÜH WIE MÖGLICH – SO ‚SCHRÄG' WIE NÖTIG

I. LESEN IN OST- UND WESTDEUTSCHLAND

Das Leseverhalten der Ost- und Westdeutschen heute zeigt eine zunehmende Ausgeglichenheit. Entnehmen kann man dies dem Vergleich zwischen zwei großangelegten repräsentativen Studien, die die Stiftung Lesen im Auftrag des Bundesbildungsministeriums 1992 wie auch im Jahr 2000 durchgeführt hat. Daraus ein paar vergleichende Daten:

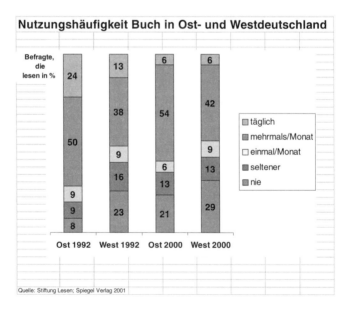

Quelle: Stiftung Lesen; Spiegel Verlag 2001

Aus der Studie von 2000 wird offensichtlich, dass das außergewöhnlich hohe Lesebedürfnis der Ostdeutschen nach dem Mauerfall sich mittlerweile normalisiert hat. Nach wie vor wird in den östlichen Bundesländern allerdings etwas mehr gelesen als in den westlichen. Dabei besteht eine besondere Breite der mittleren Leserschaft im Osten. Diese gestärkte mittlere Leserschaft ist nach wie vor ein charakteristischer Unterschied zwischen den alten und neuen Bundesländern. Als Ursache hierfür ist die nachhaltiger als erwartet wirkende Lesesozialisation in der DDR zu vermuten, die das Lesen staatlich förderte und ihm ein hohes Prestige zuschrieb. Insgesamt ist in Ost wie West ein sehr deutlicher Trend zu einem Rückgang der Lesehäufigkeit zu erkennen. Dieser Rückgang ist in den neuen Bundesländern proportional stärker ausgeprägt als in den alten Bundesländern.

Im Vergleich zur Studie von 1992 fällt auf, dass die tägliche Nutzung des Buches in den neuen Bundesländern im Jahr 2000 auffällig gesunken ist. Nur noch ein Viertel der Leser, die damals täglich lasen, tut dies auch gegenwärtig noch. Darüber hinaus hat sich die Anzahl der Nichtleser mit einer Zunahme von 8 Prozent auf 21 Prozent fast verdreifacht. Das heißt, mehr als ein Fünftel der ostdeutschen Bevölkerung nimmt gegenwärtig nie ein Buch zur Hand – im Westen sind es allerdings noch mehr.

1. WAS WIRD IN OST UND WEST GELESEN?

Nutzungshäufigkeit von Buchgruppen

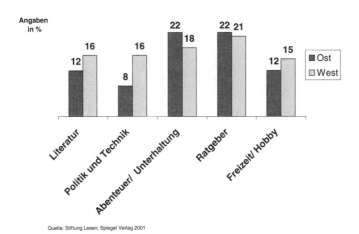

Quelle: Stiftung Lesen; Spiegel Verlag 2001

Es ist anzumerken, dass in Ost- wie Westdeutschland unterhaltende Bücher – Abenteuer, Krimis, Fantasy – insgesamt höher in der Lesergunst stehen als die Literatur (d. h. Belletristik, Literatur zu Kunst, Kultur, Geschichte). Die Differenz zwischen den Gattungen ist im Osten jedoch deutlich größer zugunsten der Unterhaltungslektüre. Bei den Titeln der belletristischen Literatur und bei den Sachbüchern gibt es übrigens kaum Unterschiede – nur, dass im Osten deutlich mehr Interesse an Titeln besteht, die die DDR-Geschichte thematisieren und Vergangenheit aufarbeiten.

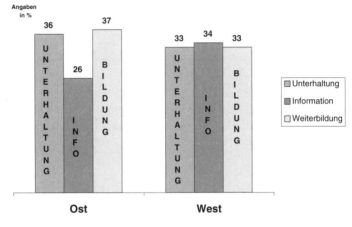

Gründe für die Nutzung von Büchern

Quelle: Stiftung Lesen; Spiegel Verlag 2001

In der Untersuchung der Stiftung Lesen wurde auch nach den primären Erwartungen der Leser an Bücher gefragt. An erster Stelle steht beiderseitig Realitätsbezug, d.h. Darstellung menschlicher Probleme in der Literatur. Im Weiteren teilen sich die Erwartungen: Im Westen steht an zweiter Stelle der Wunsch nach Phantasie, im Osten der nach Selbstverwirklichung.

Keine wesentlichen Unterschiede lassen sich laut Stiftung Lesen in den Leseweisen der aktiven Leser feststellen. Die Verteilung der Intensivleser, die den Text sorgfältig aufnehmen und aktiv verarbeiten, sowie der Flüchtigkeitsleser, die den Text nur querlesen und das Interessanteste herauspicken, ist in Ost und West ähnlich. Das Überfliegen des Textes ist in Ostdeutschland besonders bei Männern und Jugendlichen bis 29 Jahre am offensichtlichsten. Das entspricht dem gesamtdeutschen Trend des sogenannten „Lese-Zappings".

Der Blick auf die Wege zum Buch zeigt ebenfalls beachtliche Angleichungen zwischen Ost und West. Dennoch sind neue, wenn auch geringere Unterschiede entstanden. Wie im bundesdeutschen Durchschnitt nutzen immer weniger ostdeutsche Leser eine Bibliothek. 1992 waren es 46 Prozent, im Jahr 2000 30 Prozent. Durch radikale Schließungen der Bibliotheken in den neuen

Bundesländern ist dieser Trend dort sogar wesentlich intensiver zu verzeichnen. Somit hat sich die erheblich stärkere Bedeutung des Bibliotheksbesuches in den neuen Bundesländern abgebaut und dem Niveau in den alten Ländern angeglichen. Auch der Buchkauf und Besuch von Buchhandlungen, Anfang der neunziger Jahre im Osten viel stärker ausgeprägt, sind gegenwärtig deutlich gesunken. Dennoch besuchen Ostdeutsche weiterhin häufiger eine Buchhandlung als Westdeutsche. Dieser Aspekt zeichnet sich indes nicht im Buchkauf ab. Im östlichen Bundesgebiet werden weniger Bücher gekauft. Ursache dafür ist vermutlich die niedrigere Kaufkraft in den neuen Ländern.

II. LESEFÖRDERUNG HEUTE

Ob jemand zum Leser oder zum Nicht-Leser wird, hängt von vielen Faktoren ab. Eine zentrale Rolle, wie alle einschlägigen Untersuchungen der Leseforschung zeigen, spielt die Lesesozialisation innerhalb der Familie. Aber auch Kindergarten und Schule haben einen nicht unerheblichen Einfluss auf die künftige „Leserkarriere", und das zunehmend, da die klassische Familiensozialisation derzeit einem grundlegenden Wandel unterliegt.

Stark verändert hat sich auch das Medienverhalten von Kindern und Jugendlichen wie Erwachsenen. Die elektronischen Medien nehmen in allen Bereichen des Lebens einen immer größeren Stellenwert ein. So ist beispielsweise der Besitz von elektronischen Geräten bei Jugendlichen drastisch gestiegen – allein bei PCs um 13 Prozent. Vor acht Jahren besaßen 47 Prozent der Jugendlichen einen eigenen PC, im Jahr 2000 sind es 70 Prozent. Heute liegt die Zahl vermutlich noch höher. Genutzt wird der Computer online täglich bzw. mehrmals die Woche von gut einem Drittel (38 Prozent) dieser Gruppe; offline, also für Computerspiele u. ä., von knapp der Hälfte.

Noch wichtiger als diese Fakten zum Medienverhalten sind aber Veränderungen der Art des Lesens. Vor allem bei Jugendlichen hat „überfliegendes Lesens" stark zugenommen, bei dem nur das Interessante herausgepickt wird und Seiten überflogen oder überblättert werden. Lasen 1992 von den 19-jährigen nur elf Prozent auf diese Weise, gehören im Jahr 2000 31 Prozent der Jugendlichen zu jener Gruppe, die Texte eher flüchtig rezipieren. Was das im Hinblick auf sinnentnehmendes Lesen bedeuten kann, kann sich jeder unschwer vorstellen: wie beim Fernsehen wird also gezappt – und beim Lesen ist Häppchenlektüre angesagt.

Wie nun kann – soll – muss – eine Leseförderung aussehen, die diesen Voraussetzungen

- der entscheidenden Prägung durch Elternhaus, Kindergarten, Schule
- dem veränderten Medienverhalten, Rückgang des Lesens
- der Zunahme des Häppchenlesens

Rechnung trägt?

Etwas verkürzt, aber durchaus auf den Punkt gebracht: So früh wie möglich – so ‚schräg' wie nötig muss Leseförderung geschehen. Mit dieser etwas saloppen Formulierung lässt sich im Kern die Arbeit der Stiftung Lesen beschreiben. Bevor die Projekte dargestellt werden, zunächst einige Worte zum Hintergrund und zur Finanzierung der Stiftung Lesen.

Die Stiftung Lesen ist eine gemeinnützige Institution mit der Aufgabenstellung der Leseförderung und Leseforschung. Gegründet wurde sie 1988. Ihr Schirmherr ist qua Amt der Bundespräsident. Sie ist eine operative Stiftung, die keine institutionelle, staatliche Förderung erhält. Ein kleines Stiftungskapital sowie zahlende Mitglieder sind vorhanden, doch 80 Prozent des Etats, der jährlich um die 4 Mio. Euro beträgt, muss Jahr für Jahr vor allem aus der Wirtschaft neu akquiriert werden.

Die Ziele der Stiftung Lesen sind:

a) Förderung des Lesens von Büchern, Zeitschriften und Zeitungen in allen Bevölkerungsschichten, Kernzielgruppe: Nicht- und Seltenleser;
b) Kultivierung und Erhaltung einer modernen Lesekultur und sprachwissenschaftlicher Standards;
c) Leseförderung als Voraussetzung für Medienkompetenz;
d) Realisierung und Förderung des Lesens und der Leseforschung sowie der Kommunikationsforschung;
e) Entwicklung neuer Modelle der Leseförderung für verschiedene Zielgruppen;
f) Internationale Kooperation und Know-how-Transfer zu Fragen der Leseförderung.

Wie aber lassen sich diese Ziele ohne feste Finanzierung realisieren? Die Stiftung Lesen bringt Pädagogik und Marketing zusammen, um so die nötigen Mittel aus der Wirtschaft akquirieren zu können. Pädagogik und Marketing sind nicht zwangsläufig zwei feindliche Brüder, sondern stellen in ihrer Kombination eine einzigartige Möglichkeit dar, die Aufgaben, Ziele, Projekte und Strategien eines gemeinnützigen Unternehmens der Leseförderung wie der Stiftung Lesen mit den Vorstellungen von Wirtschaftsunternehmen durch die Definition gemeinsamer Schnittstellen zu verquicken. Das heißt, es geht immer darum, die berechtigten Marketing- oder Imageinteressen eines Unternehmens mit einer den Gegebenheiten der Zeit entsprechenden Pädagogik zu einem modernen Leseförderungsmarketing zu verbinden, sollen Sponsoren, Stifter und Mäzene langfristig mit ihrem Engagement und den erbrachten Leistungen zufrieden sein und dabei bleiben. Bisher ist das der Stiftung Lesen recht gut gelungen. Seit Jahren besteht eine enge Zusammenarbeit mit der Deutschen Bahn, mit Mitsubishi Motors, mit der tesa AG, mit der Twentieth Century Fox Germany u. a.

Zur Praxis der Arbeit der Stiftung Lesen: Zielgruppen der Leseförderung sind Eltern mit Kleinkindern, die Kinder und Jugendlichen selbst, Erzieher und Lehrer als Multiplikatoren in Schulen und Kindergärten sowie ganz allgemein die erwachsene Bevölkerung, die für Buch und Lesen allerdings wenig Interesse zeigt – und das sind in Deutschland, im angeblichen Land der Dichter und Denker, etwa ein Drittel der Bevölkerung.

Was kann zur Förderung des Lesens getan werden?

Was wird in Deutschland seitens der Stiftung Lesen unternommen?

Wenden wir uns zunächst jener Zielgruppe zu, die das höchste Potenzial an Leseförderungswirksamkeit hat – der Familie.

1. FAMILIE UND KINDERGARTEN

Wir wissen aus der Forschung, dass das Lernen des Lesens, die Motivation, sich mit dem gedruckten Wort zu beschäftigen, in der Familie *vor* dem Erwerb der Lesefähigkeit in der Schule stattfindet. Wir wissen ferner, dass praktisch alle Eltern von der Bedeutung des Lesens überzeugt sind, aber in der Familie nicht wirklich danach gehandelt wird, indem man vorliest und erzählt, indem man selbst liest, Kindern Bücher schenkt und mit ihnen gemeinsam Buchhandlungen und Bibliotheken als geistige ,Tankstellen' besucht. 70 Prozent der Eltern in Deutschland suchen nach Orientierungshilfe in der Lese- und Medienerziehung ihrer Kinder, nach Orientierungshilfe auf dem Kindermedienmarkt. Dies ist auch deshalb der Fall, weil die Vielzahl der Titel (z. B. 6.000 neue Kindertitel pro Jahr) und ein überbordendes Angebot sonstiger Medien zur Desorientierung – was ist gut, was ist schlecht für mein Kind? – führt. Die Frage ist also: Wie erreichen wir jene buchfernen Eltern, die Elternabende nicht besuchen und die ihre Kinder nicht entsprechend den entscheidenden Variablen der Lesesozialisation erziehen? Die Stiftung Lesen hält dies für eine der zentralen Aufgabenstellungen der Leseförderung nicht nur in Deutschland, sondern überall auf der Welt. Die zweite Frage ist, wie gelingt es uns, in Familie und Kindergarten ,die Erzieher zu erziehen'? Was tut die Stiftung Lesen?

Die Vorlesemobile – rollende Lernwerkstätten für Eltern und Erzieher

Drei Vorlesemobile mit vier Referentinnen sind in Deutschland unterwegs und führen pro Jahr ca. 130 Seminare und Workshops durch: In der Erzieherinnenausbildung und in Elterninformationsveranstaltungen wird gezeigt, wie man vorliest, welche Bücher für das Vorlesen geeignet sind, wie man eine Leseatmosphäre im Kindergarten schafft usw. Ein Vorlesemobil ist ein von Mitsubishi Motors gesponserter Wagen, der mit themenorientierten Bücherboxen, Handreichungen für Erzieher und Eltern, Ausstellungen, Vorlesebären etc. ausgestattet ist. Alles, was ein Kindergarten z. B. an Know-how benötigt, ist an Bord. Die Seminare bzw. Workshops selbst werden mit den jeweiligen Trägern der Kindergärten, d. h. Kommunen, Kirchen und freien Trägern abgesprochen, so dass sichergestellt ist, dass konkret in der Problemsituation vor Ort geholfen wird.

„Macht die Kindheit lebendig" – Kampagne in Kinderarztpraxen

Fast alle Familien in Deutschland mit kleinen Kindern müssen zu Vorsorgeuntersuchungen zum Kinderarzt. Hier erreicht man vielleicht auch jene, die nicht zu Elternbildungsveranstaltungen und Gesprächskreisen gehen. Die Stiftung Lesen hat alle 6.500 Kinderarztpraxen in Deutschland aufgefordert, das Thema Leseerziehung und Sprachentwicklung von Kindern stärker als bisher in ihre Beratungsgespräche einzubringen. 2.000 der 5.500 Praxen beteiligten sich an der Aktion, bei der Vorlesebücher für die Praxen und Handreichungen zur Leseerziehung für Eltern mit Büchervorstellungen kostenlos ausgelegt werden.

„Die besten Medien für ihr Kind" – Orientierungshilfen für Eltern auf dem Medienmarkt

Gleichfalls in den Kinderarztpraxen sowie im Buchhandel hat die Stiftung Lesen letztes Jahr eine weitere Kampagne gestartet, die neben Büchern auch andere Medien auswählt und diese den Eltern empfiehlt. Hierzu gehören insbesondere Videos, DVDs, Computersoftware und Spiele. Dabei geht es darum, den Eltern zu zeigen, dass es in der kindlichen Lese- und Medienerziehung nicht darauf ankommt, das eine Medium gegen das andere ausspielen zu wollen, sondern vielmehr das kindliche Medienmenü richtig zusammenzustellen. Medien sind nicht per se schlecht, weder das Fernsehen noch das Video. Es kommt nur darauf an, wie man damit umgeht. Rund 400.000 Broschüren für Eltern liegen in den Arztpraxen, Spielwarenläden und Buchhandlungen zum Mitnehmen aus. Nicht geplant war die Ausstattung in Grundschulen, doch kam von hier rege Nachfrage: Für Elternabende wurden 30.000 Exemplare bestellt. Neben den Printprodukten wird diese Kampagne auch erstmals online als Informationskampagne für Eltern gefahren. Gefördert wird die Kampagne vom Bundesverband Video – einem Zusammenschluss aller Home-Entertainment-Unternehmen.

Der Vorleseclub – Dialog der Generationen

Ein neues Projekt, welches die Stiftung Lesen vor kurzem entwickelt hat, unternimmt den Versuch, ältere Menschen dafür zu gewinnen, sich ehrenamtlich in der Kulturarbeit zu engagieren und Kindern in Kindergärten, Schulen, Bibliotheken oder aber auch in der Nachbarschaft vorzulesen. Sie werden in ein- bis zweitägigen Veranstaltungen geschult, erhalten Clubausweise und Anstecknadeln und können auf diese Weise durch ehrenamtliche Stunden einen Beitrag zur Leseförderung und zum Dialog der Generationen leisten. Rund 2.000 ehrenamtliche Vorleserinnen sind bisher für dieses Projekt gewonnen worden.

Ganz aktuell läuft ein Wettbewerb, in dem die Stiftung Lesen „Die 100 vorlesefreundlichsten Kindergärten" sucht. 38.000 Kindergärten haben den Wettbewerbsflyer erhalten und können bis März 2003 ihre Aktionsdokumentationen einsenden und einen goldenen, silbernen oder bronzenen Vorlesebären gewinnen.

2. SCHULE

Auch bei den Schulkampagnen führt der Leseförderungsweg über die Multiplikatoren: die Lehrerinnen und Lehrer. Sie erhalten je fünf Sets der Unterrichtsmaterialien kostenlos zugesandt. Mit methodisch-didaktischen Anregungen zum jeweiligen Thema, mit Arbeitsblättern für Schüler als Kopiervorlagen, mit Lesetipps und meist auch mit einem Kreativwettbewerb – z. B. „Tesalino & Tesalina" (die Geschichte zweier Freunde, die Bücher lieben, für Kinder ab sieben Jahren). Lesen mit Vergnügen, mit einem guten Gefühl, mit dem Austoben von Phantasie verbunden, auch gemeinsam mit den Freunden in der Klasse, darum geht es gerade bei den jüngeren Kindern. Und es funktioniert: In den Grundschulkampagnen sind die Kinder oft wochenlang mit Herzblut bei der Sache – das hilft ganz spielerisch dem Erlernen des Lesens und auch der Motivation zum Lesen.

Rund zweimal im Jahr wird eine bundesweite Leseförderungskampagne in allen ca. 17.000 Grundschulen durchgeführt. Weit öfter entwickeln wir fächerübergreifende Unterrichtsmaterialien für Lehrer und Schüler von weiterführenden Schulen, von der 5. bis zur 13. Klasse. Hier hat die Stiftung Lesen eine Methode entwickelt, die sich im Hinblick auf die Zielgruppe der Jugendlichen und deren Verlockung zum Lesen besonders eignet: Filmverleiher wie 20th Century Fox, uip, Columbia u.a. haben ein großes Interesse daran, neue Marketingwege zu gehen und insbesondere im Feld Schule Jugendliche direkt zu erreichen. Nun gibt es in Deutschland ein grundsätzliches Werbeverbot an Schulen, so dass dieser direkte Weg der Werbung als Endverbraucherwerbung nicht möglich ist. An der Schnittstelle zwischen Marketing und Leseförderung entwickelt die Stiftung Lesen Lehrer- und Schülermaterialien, die den Film selbst, aber auch die Themen des Films aufgreifen. Für Lehrer wird eine Ideenbörse bzw. ein methodisch-didaktisches Begleitheft erarbeitet und mit Kopiervorlagen für Schüler zur Bearbeitung der im Film angesprochenen Themen mittels Literatur versehen. Spielerisch-kreativer Umgang mit den Themen des Films, Literaturquize und Kreuzworträtsel, Recherchieren im Internet, Nachschlagen im Lexikon, Nachschauen in der Bibliothek oder im Buchhandel usw., all dieses soll dazu beitragen, das Interesse am Film in die Lust am Lesen zu überführen und den Jugendlichen aufzuzeigen, dass die Welt der Bücher noch mehr für sie bereithält als der Film selbst. Vergleiche von Buch und Film, Filmtricks usw. werden genau so thematisiert wie die Entstehung von Drehbüchern oder die literarischen Hintergründe dieses Mediums. Dabei versteht die Stiftung Lesen diese Methode als Teil einer allgemeinen Medienerziehung, deren Grundlage die Leseerziehung selbst ist. Nur wer liest, kann Medienkompetenz erwerben. Spannend ist diese Methode der Leseförderung aber nicht nur im Hinblick auf die enorme Motivation der Schüler bei Filmen, sich mit Lesestoff zu beschäftigen – z.T. erhalten wir bis zu 100.000 Zuschriften von Jugendlichen –, sondern insbesondere auch im Hinblick auf den Aspekt des fächerübergreifenden Arbeitens mit Büchern.

Die *Titanic*-Kampagne, die die Stiftung Lesen für Deutschland, Österreich und die Schweiz durchführte, zeigte, was Leseförderung auch in anderen Fächern heißen kann: Am Beispiel von *Titanic* konnte gezeigt werden, wie die Fächer Biologie, Mathematik, Physik, Sozialgeschichte, Erdkunde sich in den Dienst der Leseförderung stellen und einen Beitrag zur Lesemotivation bei Jugendlichen leisten können. Dies deshalb, weil, neben der Liebesgeschichte, *Titanic* paradigmatisch für Auswanderung, Spitzenprodukt der Technik, Gesellschaftssystem, Kommunikation usw. steht. Kurzgefasst: Kinofilme für Leseförderungskampagnen zu nutzen, sind ein ausgezeichneter Weg, gerade jene Jugendliche zu erreichen, die sich nicht (mehr) für Bücher interessieren.

Im Übrigen werden die Kampagnenmaterialien zu Kinofilmen nicht nur von Lehrern genutzt, sondern häufig auch von Bibliothekaren, da sie gute Ansatzpunkte für die Zusammenarbeit von Schule und Bibliothek bieten. Die Bibliothekare können Schulklassen aus ihrer Umgebung zum Kennenlernen ihrer Bibliothek auf besondere Art einladen. Indem sie z.B. eine Buch-Such-Rallye zusammenstellen, in der die Jugendlichen verschiedene Titel in Verbindung mit dem jeweiligen Kinofilm in den Regalen finden müssen. Oder die Schüler dürfen einen eigenen Kino-Büchertisch für alle Besucher zusammenstellen oder gestalten das Schaufenster der Bibliothek mit Motiven und Titeln zum Film. Darüber hinaus enthalten die Leseförderungskampagnen via Kino viele Möglichkeiten für Bibliotheken, auch unabhängig von einer direkten Kommunikation mit der Schule die Popularität des jeweiligen Kinofilms für sich zu nutzen. Denn die Materialien bieten in der Ideenbörse für Lehrer viele Anregungen, die auch in der Bibliothek umgesetzt werden können. Nicht zuletzt lockt manchmal allein schon der Aushang des Aktionsfilmplakats potenziell neue Besucher an.

Angeboten werden im Rahmen der Leseförderungskampagnen zu Filmen auch immer Schulvorstellungen im Kino. Lehrer können Schulsondervorstellungen am Vormittag zu vergünstigten Preisen für ihre Klassen entweder mit dem örtlichen Kino selbst vereinbaren oder aber über eine im Schulmaterial der Stiftung Lesen angegebene Telefon-Hotline beim Filmverleiher direkt buchen. Zu beinahe 30 Kinofilmen hat die Stiftung Lesen inzwischen unterschiedliche Leseförderungsaktionen gemacht – überwiegend in Form von Schulkampagnen, aber auch im Buchhandel, in Bibliotheken und sogar schon via Apotheke. Die Kosten für jede dieser Kampagnen wurden und werden immer vollständig von der Filmindustrie getragen.

Im zweiten Jahr läuft eine andere bundesweite Kampagne, die die Stiftung Lesen gerade mit Coca-Cola auf den Weg gebracht hat. „Schnapp dir ein Buch!" heißt sie und möglichst viele Bücher sollen in Bewegung gebracht werden. Über 30.000 Schulen, alle Grundschulen und alle weiterführenden Schulen, sind aufgefordert, Bücherparties zu veranstalten, den Lesetag zu feiern und: alle Schülerinnen und Schüler können ihre Lieblingsbücher wählen. Auf diese Weise entsteht erstmals in Deutschland eine Bücher-Hitliste, ein Preis von Kindern für Kinder. Dazu wurde eine Auswahlliste von 30 Titeln an die Schulen gegeben, die die Stiftung Lesen mit 1.600 Lehrerinnen und Lehrern aus dem „Ideenforum Schule" (dem Lehrer-Service Club der Stiftung Lesen) zusammenstellte. Aus diesen 30 Büchern werden die zehn beliebtesten ermittelt und die drei allerbeliebtesten werden im Frühjahr 2003 mit dem goldenen, silbernen und bronzenen Lese-Star ausgezeichnet. Die meisten Bücher der Auswahlliste sind in Bibliotheken, z.T. sogar im Klassensatz, vorhanden, so dass in den nächsten Monaten in sehr vielen Schulen heftig gelesen, diskutiert und gewählt werden kann. Das Ganze hat natürlich noch einen medialen Aspekt, denn Tageszeitungen, Kinder- und Jugendzeitschriften, Radio und auch Fernsehen nehmen eine solche Kampagne gerne in ihre Berichterstattung auf oder nutzen sie als Aufhänger für einen Hintergrundbericht über das Thema Lesen und das erhöht zum einen die Förderfreudigkeit des Sponsors und wird zugleich von Eltern wahrgenommen. An der „Schnapp dir ein

Buch!"-Kampagne lässt sich ganz gut aufzeigen, wie vernetzt die Stiftung Lesen in ihren Projekten zusammen mit ihren Partnern arbeitet: Kern jeder Kampagne sind inhaltlich fundierte Materialien für die jeweilige Zielgruppe mit Informationen und Ideen für Multiplikatoren, die sich gut in die Unterrichtssituation integrieren lassen. Gleichzeitig sind sie so publikumswirksam, dass wir in einer event-orientierten Zeit die wählerisch gewordenen Medien immer wieder dazu verlocken können, das Thema Lesen aufzugreifen, und es so in eine breite Öffentlichkeit zu tragen.

Sichtbar wird das vernetzte Prinzip an der größten Kampagne, die die Stiftung Lesen seit sechs Jahren mit den Partnern Deutsche Bahn, Mitsubishi Motors, der Verlagsgruppe Random House und dem Zweiten Deutschen Fernsehen immer am 23. April durchführt: den „Welttag des Buches". In den letzten beiden Jahren ist die gesamte „Welttag des Buches-Kampage" in jeweils beinahe 30 Fernsehsendungen der öffentlich-rechtlichen wie auch einiger privater Fernsehsender kommuniziert worden, in über 300 Tageszeitungen und Zeitschriften sowie in mehr als 20 Radiosendungen. Sie hat damit eine Gesamtzahl in diesen Medien von 150 bis 180 Mio. Kontakten gehabt; das entspricht einem Mediawert von 4 bis 5 Mio. Euro.

In dieser kleinen Tour d'horizont durch das Spektrum der Programmarbeit der Stiftung Lesen in Deutschland wurden einige Aspekte und Projekte vorgestellt. Darüber hinaus gibt die Stiftung Lesen z.B. regelmäßig Leseempfehlungen zu Fernsehsendungen, gestaltet Projekte für und mit ausländischen Kindern und Jugendlichen, betreibt Leseforschung und vieles mehr. Zum Spektrum der Programmarbeit der Stiftung Lesen in Deutschland sind im Internet unter <http://www.stiftunglesen.de> weitere Informationen zu finden.

Olga Zitzelsberger

LESEN IN DER MEDIENGESELLSCHAFT?

LESEERFAHRUNGEN UND -HÜRDEN VON JUNGEN FRAUEN UND MÄNNERN MIT NIEDRIGEM BILDUNGSABSCHLUSS[1]

Der Beitrag referiert Ergebnisse eines DFG-Forschungsprojektes, welches an der Frankfurter Johann Wolfgang Goethe-Universität unter der Leitung von Frau Prof. Dr. Cornelia Rosebrock durchgeführt wurde.[2] Das Projekt trägt den Titel: „Was bleibt? – Spuren des schulischen Literaturunterrichts in der Medienpraxis und Lesegeschichte 17–18jähriger HauptschulabsolventInnen". Wir führten hierzu 30 Interviews mit jungen Frauen und Männern, die die Schule mit dem Hauptschulabschluss verlassen haben und zum Zeitpunkt des Interviews auf Arbeitssuche waren, sich auf eine Berufsausbildung vorbereiteten oder sich in einer Berufsausbildung befanden.

Wir erhoben die Lesepraxis innerhalb der gesamten Mediennutzung in ihrer biographischen und familiären Einbettung. Einen Schwerpunkt bildete die Frage nach dem Einfluss des Deutschunterrichts. Hinterlässt er Spuren und welche? Bei der Auswertung betrachteten wir die Funktionen des Lesens, die Leseeinstellungen der Jugendlichen und werteten die Interviews getrennt nach Geschlechtszugehörigkeit aus. Soviel sei bereits vorweg gesagt: Das Lesen bedeutet für viele unserer Interviewpartnerinnen und -partner eine hohe Anforderung.

Im Folgenden konzentriere ich mich auf zentrale Ergebnisse zu den Leseeinstellungen sowie zu geschlechtlichen Unterschieden in der Lesepraxis der Jugendlichen.

---

[1] Die hier vorliegende Fassung geht wesentlich auf einen Zeitschriftenbeitrag gemeinsam mit Pieper / Wirthwein 2002 zurück.

[2] Das Projekt ist Teil des Schwerpunktprogrammes der DFG: Lesesozialisation in der Mediengesellschaft: Geschlechtsspezifische/-übergreifende Strukturen, Prozesse, Bedingungszusammenhänge.

I. THEORETISCHE EINBETTUNG: ZWEI HYPOTHESEN

1. Lesekompetenz wird in der gegenwärtigen sprach-, literatur- und mediendidaktischen Diskussion mit kognitiven Fähigkeiten verbunden und nimmt innerhalb der umfassenderen Konzeption der Medienkompetenz[3] eine Schlüsselstellung ein. Entsprechend stellt Lesekompetenz ein bedeutendes Bildungsziel dar, dessen Erreichen oder Nicht-Erreichen die Möglichkeit zur aktiven Teilnahme an der Mediengesellschaft bestimmt. Die Gestaltung der eigenen beruflichen Entwicklung, die Teilhabe an technischen Erneuerungen und damit am gesellschaftlichen Leben sind ohne eine entsprechende Lesekompetenz kaum denkbar. Lesen, insbesondere literarisches Lesen, erschließt darüber hinaus Ressourcen für die Identitätsentwicklung und die Stabilisierung der Person.[4]

2. Insbesondere im niedrigen Bildungsbereich weist die Lesesozialisationsforschung in der Bundesrepublik Deutschland erhebliche Lücken auf. Lesebiografien legen offen, dass im Laufe des individuellen Lebens selbst bei ,ausgewiesenen' Leserinnen und Lesern die Intensität ebenso wie die Interessen Schwankungen unterworfen sind. In der Regel erreichen Lesekurven zu Beginn der Pubertät einen krisenhaften Einbruch. Niveauunterschiede zwischen den Geschlechtern bleiben innerhalb einzelner Lebensabschnitte bestehen. Besonders gut erforscht sind Lesesozialisationsverläufe von deutschen Abiturientinnen und Abiturienten sowie Studierenden in germanistischen Seminaren an Universitäten. Gleichzeitig wissen wir jedoch, dass das Bildungsniveau einen erheblichen Einfluss auf das Leseverhalten wie die Lesepraxis allgemein hat, so dass von den vorliegenden Ergebnissen nicht auf Jugendliche mit niedrigem Bildungsabschluss geschlossen werden kann.

Auch deswegen führten wir im Vorfeld Interviews mit Deutschlehrerinnen und einem Deutschlehrer an Frankfurter Hauptschulen durch. Diese berichteten, dass der Löwenanteil der Unterrichtsarbeit im Deutschunterricht der Sprachproblematik gilt: Worte müssen geklärt, Zusammenhänge mühsam erschlossen werden. Sprachfähigkeiten in Wort und Schrift sind oft schwach ausgeprägt, dies auch am Ende der Hauptschulzeit. Die PISA-Studie erhärtet diese Beobachtungen mittlerweile, die Jugendlichen unseren Untersuchung zählen zur sogenannten ,Risikogruppe' der PISA-Studie, ,Risikogruppe' auch im Hinblick auf ihre zukünftigen Lebensperspektiven.

---

[3] Zu diesem Konzept vgl. Rosebrock / Zitzelsberger 2002.
[4] Vgl. die Entfaltung der Bedeutung des Lesens in der PISA-Studie, PISA 2000 (2001), 69–71. Zur Konzeption der Lesekompetenz vgl. Hurrelmann 2002.

II. WER SIND DIESE JUGENDLICHEN?

Zu fragen gilt: Wer sind diese Jugendlichen, von denen ich berichten möchte? In welchen Familien und sozialen Zusammenhängen leben sie? Mit welchen Themen beschäftigen sie sich, welche Medien nutzen sie? An Frankfurter Hauptschulen befinden sich an einzelnen Schulen über 90 Prozent Schülerinnen und Schüler mit Migrationshintergund. Diese Situation ist in Frankfurt besonders ausgeprägt, aber nicht außergewöhnlich. Sie ist kennzeichnend für bundesrepublikanische Großstädte und Ballungsräume in den alten Bundesländern. Entsprechend befinden sich auch in unserem Sample viele Jugendliche mit Migrationshintergrund. In allen Interviews haben die jungen Männer und Frauen von schulischem Versagen berichtet, das nahezu immer mit der deutschen Sprache bzw. mit dem Unterrichtsfach Deutsch zusammenhing.

Viele unserer Interviewpartnerinnen und -partner leben in Familien mit niedrigem sozialen Status. Die Väter der Jugendlichen üben zum Großteil einfache bzw. angelernte Tätigkeiten aus. Einige Väter sind in einem handwerklichen Beruf tätig. Nur bei einem einzigen Jugendlichen ist der Vater Arzt.[5] Die Mütter sind zuhause oder teilzeitbeschäftigt. Ein Teil der Väter und / oder Mütter war zum Zeitpunkt des Interviews arbeitslos. In einem Interview wird ausdrücklich von einer angespannten wirtschaftlichen Situation in der Familie gesprochen. Die Jugendlichen gaben an, dass die Väter keinen oder nur einen niedrigen Schulabschluss erreicht hätten. Viele Väter übten die erlernten Berufe bedingt durch ökonomische Veränderungen oder die Migration in die Bundesrepublik nicht mehr aus. Die Mütter besuchten häufig eine Volks- oder Hauptschule. Zwei Mütter erreichten den Realschulabschluss, eine das Abitur. Ein Jugendlicher berichtete, dass seine Eltern Analphabeten seien.

Die Angaben korrespondieren mit den Aussagen der von uns interviewten Lehrerinnen und Lehrer. Mittelschichtkinder seien an ihrer Hauptschule in Frankfurt fast gar nicht mehr anzutreffen, so eine Expertin [R., 9–14][6]. Darüber hinaus gebe es in jeder Klasse eine Gruppe von Schülerinnen und Schülern, die erst im Laufe ihrer Schulzeit in Folge von Krieg und Vertreibung nach Deutschland gekommen sei und sich mit ihren Familien in einem ungesicher-

---

[5] Zumindest bei einem Interviewpartner hatten wir dabei den starken Eindruck, dass er seine Angaben ‚schönt‘. So sprach er über die frühere Beschäftigung des Vaters und ließ die aktuelle Beschäftigung im Unklaren. Dies ist ein Hinweis darauf, dass bei einem direkten Abfragen der beruflichen Stellung der Eltern mit einem sozial erwünschten Antwortverhalten zu rechnen ist und entsprechend die Antworten einer Verzerrung unterliegen.

[6] Die Interviewpartnerinnen und -partner wurden durch einen Fantasienamen anonymisiert. Hier wird der erste Buchstabe angegeben, ergänzt mit der Zeilenangabe der Aussage im Interview.

ten Aufenthaltsstatus befinde. So berichtet eine Expertin: „Bei mir sind dann so Kriegsflüchtlinge, die, die haben Duldung, das ist ein ganz schlimmes Schicksal. Wir haben da Leute seit Jahren sitzen, die werden alle viertel Jahre im Grund nach Haus geschickt." [D., 686–690].[7] Als Bündel aus sozioökonomischer Unterprivilegierung charakterisierten die Lehrerinnen und Lehrer[8] daher zusammenfassend die Herkunftsfamilien der Schülerinnen und Schüler.

Mögen die strukturellen Verhältnisse als schwierig beurteilt werden, so berichteten die Jugendlichen in der Regel positiv vom familiären Zusammenleben, wenn auch in einigen Interviews deutliche (pubertäre) Abgrenzungsversuche gegenüber den Eltern zu erkennen sind. Erzählt wird von Gesprächen während des Essens, vom gemeinsamen Fernsehen mit den Eltern und / oder Geschwistern, gemeinsamen Unternehmungen während der Freizeit. Die jungen Frauen verbringen tendenziell mehr Zeit in den Familien, doch wird auch bei den jungen Männern mit Migrationshintergrund ein Verbundenheitsgefühl mit der Familie betont.

Die Jugendlichen berichten von einer mehrsprachigen Praxis in den Familien: Mit den Eltern wird in den allermeisten Familien die Herkunftssprache (z. B. russisch, türkisch, arabisch, marokkanisch) gesprochen, während die Alltagssprache zwischen den Geschwistern und mit Freundinnen und Freunden mehrheitlich Deutsch ist. Wenn gelesen wird, dann ebenfalls in deutscher Sprache und auch im Fernsehverhalten – die Jugendlichen verfügen oft über eigene Geräte und schauen allein oder mit Freunden fern – ist von einem Vorrang deutschsprachiger Sender auszugehen. Musikkanäle bilden dabei eine Ausnahme, da sich hier Interessen auch auf die Herkunftsländer (der Eltern) beziehen. Ansonsten werden – wie bei Jugendlichen nicht anders zu vermuten – häufig und auch hier vorrangig deutschsprachige Radiosender mit hohem Musikanteil gehört.

Die Ausstattung mit Zeitschriften und Büchern fällt in den Familien sehr unterschiedlich aus. Zwar berichten Jugendliche von ‚lesefreien' Wohnungen, zumindest eine aber auch von vollgestopften Bücherregalen. Die Mediennutzung strukturiert bei zahlreichen Jugendlichen die Freizeit. Dabei nimmt das Lesen innerhalb des Medienensembles der Interviewten in der Regel keine prominente Stellung ein. Das Leitmedium ist zumeist das Fernsehen, das als Informations-, vor allem aber als Unterhaltungsmedium aus dem Alltag der jungen Erwachsenen nicht wegzudenken ist. Die Mediennutzung vieler Inter-

---

[7] Wir kürzen die anonymisierten Namen der LehrerInnen hier ab. Die Belegstellen verweisen auf die Zeilenangaben in der Interviewtranskription.

[8] Ein Experte macht keinerlei Angaben zu den Herkunftsfamilien seiner Schülerinnen und Schüler. Im Interviewleitfaden ist die soziale Herkunft der Schülerinnen und Schüler nicht berücksichtigt, doch machen sieben Expertinnen und Experten im Gespräch Angaben zu diesem Aspekt.

viewter ist in sich differenziert[9], doch kommt der Genussorientierung – wie dies entsprechende Erfahrungen in den Interviews belegen – eine besondere Bedeutung zu. Die Lesepraxis nimmt zumeist weit weniger Zeit ein und ermöglicht nur selten vergleichbare Erfahrungen.

1. Ein Beispiel: Nadia: „Ich les gern Bücher, aber …"

Nadia ist 17 Jahre alt und absolviert zur Zeit eine Ausbildung zur Zahnarzthelferin. Als jüngstes von vier, in Deutschland geborenen Kindern teilt sie sich mit ihrem Bruder, der Informatik studiert, und einer Schwester ein Zimmer in der Wohnung der Eltern, die jordanische Christen sind. Nadias Vater ist seit 40 Jahren in Deutschland und arbeitete hier bis zum Renteneintritt als Automechaniker. Ihm verdankt die Familie eine ausgeprägte Kommunikationsstruktur. Nadia beschreibt ihren Vater als „Politikfanatiker" und Initiator heftiger Diskussionen über die Geschehnisse im Nahen Osten. Auch lade er zweimal pro Monat zur „Familienkonferenz", die sich immer um dieselben lästigen Themen wie das Ausgehen drehe. Die Mutter machte einen Putzjob, den sie krankheitsbedingt vor einiger Zeit an Nadia übertragen hat, so dass diese neben der Ausbildung noch dreimal wöchentlich abends putzen geht. Nadia geht davon aus, diese Arbeit noch einige Zeit machen zu müssen. Sie erlebt ihre derzeitige Situation, die ihr kaum Zeit für sich selbst oder Freunde lässt, in jeglicher Hinsicht als „Tief": „Ich kann irgendwie gar nix mehr regeln." [N., 390–391]. „Sei es Familie, sei es Arbeit und weil ich familiäre Probleme gehabt hab. Kam noch die Arbeit dazu und des war einfach dann wirklich zu viel und dann ging's echt bergab mit mir." [1101–1103].

Auffällig ist Nadias ausgeprägtes Imageproblem, welches sowohl auf ihrer Bildungskarriere als Hauptschülerin („Hauptschüler ist ja schon ne Beleidigung." [1027]) als auch auf dem Beruf der Zahnarzthelferin („Wir tun mehr als nur saugen." [1077]) zu gründen scheint. Ihren Selbstwert gegenüber einer stigmatisierten Umwelt zu behaupten ist für sie zentral. Lesen begreift sie in diesem Zusammenhang als Ausweis sozialer Wertigkeit. Nadia besitzt ein gesellschaftlich tradiertes Bildungskonzept sowie eine romantische Vorstellung vom Lesen („immer abends so mit der Taschenlampe" [360]). Faktisch jedoch hat sie keinen Bezug zu diesem Medium. Außer einem Libanon-Reiseführer habe sie in letzter Zeit nicht viel gelesen, was sie mit Zeitnot, Unlust und mangelnder Anregung durch Dritte erklärt. In Bezug auf Zeitschriften wie *Sugar*, *Bunte* oder *Gala* dominiert das Blättern. Auch lebensgeschichtlich lassen sich keinerlei Viellesephasen oder eine Rezeption mit wirklicher Beteiligung ausmachen. Die wenigen von ihr als jugendliche Freizeitlektüre benannten Bücher können größtenteils als Schullektüre identifiziert werden.

---

[9] Dieser Thematik wird hier aus Gründen des Umfangs nicht nachgegangen.

Ihre derzeit stark limitierte Freizeit ist geprägt von einer intensiven Nutzung audiovisueller Medien, wobei Nadia das Internet (E-mailen und Chatten) als für sie wichtigstes Medium einstuft. Allerdings benennt sie auch Musik („egal wo ich hingehe, höre ich ja Musik" [968]) und Fernsehen als für sie recht bedeutsame Medien. Sie nutze „eigentlich alles gleich" [969/70]. Nadia kann dezidiert aufzählen, was sie wann im Fernsehen schaut. Ein Tag ohne Fernsehen sei eher die Ausnahme. Videos sehe sie selten. Auch Kinobesuche mit arabischen Freundinnen hätten aufgrund des vielen von ihnen auferlegten Ausgehverbots abgenommen.

Nach ihrer Kindheit gefragt, konstruiert Nadia sich retrospektiv als aufgewecktes Kind, das gerne tanzte, sang und seine Freizeit bevorzugt draußen spielend verbrachte. Fernsehen habe damals keine Rolle gespielt. Vor dem Schlafengehen habe ihr der Vater die Haare geflochten und arabische Lieder vorgesungen. Ihr Bruder habe ihr gelegentlich aus Jugendbüchern vorgelesen. Für im Haushalt vorhandene Kinderbücher habe sie sich nicht interessiert, wohl aber für Hörspielkassetten wie *Aladin* oder *Benjamin Blümchen*. Während der Hauptschulzeit scheint der Fernseher allmählich an Bedeutung gewonnen zu haben.[10]

III. EINSTELLUNG ZUM LESEN

„Ich bin kein Typ, der gern liest.": Die Konstruktion des (Nicht-)Lesers

„Ich bin kein Typ, der gern liest." – mit dieser Standardformel unterscheiden sechs männliche und zwei weibliche Befragte implizit zwischen sich selbst und dem Typus des Genusslesers. Dies wird von den Jugendlichen sehr unterschiedlich begründet. Die jungen Erwachsenen aus Migrationsfamilien haben zum Teil erhebliche Leseschwierigkeiten. Diese beziehen sich sowohl auf Basisfähigkeiten wie Worterkennung und Satzidentifikation als auch auf mühelos verstehendes Lesen. So argumentiert beispielsweise Ali: „Doch Zeitungen, Bildzeitung les ich, aber halt zu Hause, Bücher mein ich, (I: ja) so halt Liebesdrama, das les ich nicht so. Weil, man liest und liest, man kapiert nix (lacht). Deswegen wozu soll ich lesen …" [A., 416–418].

Francesca, eine Interviewpartnerin, bei der große Leseschwierigkeiten vermutet werden müssen, macht deutlich, dass sie sich von einer väterlichen Aufforderung zum Lesen abgrenzen will: „Ja, der [Vater] meint, der hat so viel gekauft, und da meint er, ihr könnt das Bücher lesen. Ich mein, nein, ich mag

---

[10] Das Kurzportrait wurde von Katrin Kollmeyer erstellt und wird hier in einer leicht gekürzten Fassung vorgestellt.

das nicht. Ich mag echt nicht. Aber wenn ich muss, dann mach ich, kein Problem." [F., 339–341].

Die Interviewpartnerinnen und -partner bezogen ihre Aussagen auf das Lesen von Büchern. Ali liest gleichwohl regelmäßig Zeitung. Nadine schaut regelmäßig Zeitschriften an, liest Horoskope und einzelne Artikel und betont dennoch, dass sie eigentlich kein Mensch sei, der liest. Sie unterscheidet explizit: „Ich weiß bei nem Buch, da muss so, ich find en Buch soll man von Anfang bis Ende lesen, weil dann versteht man diesen, den, also das, den Text des Buches und den Inhalt nicht. Man muss es halt von Anfang bis Ende durchlesen und das ist dann halt schon für Leute, die gern lesen. Ich würd sagen, nicht dass ich unbedingt nicht gern lese, ich lern, also lese schon gerne, aber es kommt halt immer drauf an, was …, ich kauf mir lieber dünne Bücher … ich bin halt mehr so ein Bravo, Fernsehzeitschriften, Zeitungen und alles." [N., 404].

Die Selbstauskunft „Ich bin kein Typ, der (gern) liest", die Nadine hier offensichtlich überdenkt, bedeutet vor allem, dass es keine Lesepraxis gibt, die sich mit dem sprichwörtlichen langen Atem längeren Geschichten hingibt. Etwa das Eintauchen in ein Liebesdrama – also immersives Lesen – kennen diese Interviewpartnerinnen und -partner nicht als Erfahrung, sondern eher als prototypisches Handlungsmuster des Lesers. Insofern verweist die Formel auf eine Idee des Lesers. Diese Konstruktion wird mit einem Genusserleben verbunden, das die Interviewten beim Fernsehen, beim Videoschauen oder im Kino erfahren. Davon zu unterscheiden ist ein Umgang mit Zeitschriften und Zeitungen, den die Interviewpartnerinnen und -partner als regelmäßig oder sporadisch, jedenfalls eher durch Herumblättern als durch kontinuierliche Lektüre geprägt, kennzeichnen. Wenn Nadine trotz einer solchen Praxis formuliert, sie sei kein Mensch, der liest, so qualifiziert dies eine Lesehaltung, die sich mit Genuss längeren Lektüren zuwendet, als die einzig geltende, deren Gegenpart nur der Nichtleser sein kann.

Neben der Idee des Lesers findet sich in dieser Gruppe die Vorstellung des Lesens als bildende, nützliche Praxis, ohne dass diese im eigenen Leben etabliert würde. „Also man kann immer draus lernen, wenn man liest. Man sagt ja, wer lesen kann, hat Vorteile. Irgendwo sehe ich das auch so. Wer lesen kann, hat wirklich Vorteile. Man kann viel lernen beim Lesen." [V., 750–752].

Nadine registriert ihre Nicht-Praxis allerdings mit Bedauern: „Ja, das ist einfach nur meine Faulheit (I: ja), würde ich sagen. Ansonsten ich würde eigentlich, ich bin eigentlich schon ein Mensch, der viel lesen kann (I: ja). Also ich müsste mich eigentlich nur durchsetzen, mir irgendwas holen und einfach nur anfangen zu lesen (I: ja). Es ist immer nur der erste Schritt, wenn ich (I: ja) einmal gemacht hab, dann …" [N., 468–470]. Eine intrinsische Motivation zum Lesen zumindest von Büchern scheint allerdings nicht gegeben. Vielmehr legt

Nadine nahe, dass eine Selbstüberwindung von Nöten wäre, die freilich wiederum der Idee des Genusslesers widerspricht.

Alle diese Jugendlichen haben technische Leseschwierigkeiten, selbst wenn Interesse vorhanden ist, können sie ihren selbst gehegten Erwartungen nicht nachkommen, lassen sie sich von den Mühen der Anstrengung beim Lesen abschrecken.

IV. LESETYPOLOGIEN

Im Folgenden möchte ich in Anlehnung an Werner Graf (2001) zwei Lesetypologien gegenüberstellen, die sicherlich nur analytisch so trennbar sind, gleichwohl geschlechtliche Differenzen prägnant hervorheben.

1. Instrumentelles Lesen

Einige Interviewte setzen das Lesen als Mittel ein, um bestimmte berufliche und persönliche Ziele zu erreichen: Lesen dient hier der Verbesserung der Lebenschancen und wird in diesem Sinn auch praktiziert. Insofern wird ein wertgesteuerter Lesebegriff in Handeln umgesetzt. Dabei geht es weniger um die Möglichkeit, über das Lesen Inhalte zu erschließen, sondern vielmehr um die Technik des Lesens als solcher, die als Arbeit und Mühe erscheint.[11] Sie kann offenbar nur in kommunikativen Zusammenhängen bewältigt werden. Der Migrationshintergrund schlägt sich deutlich nieder:

Maria, eine junge Frau italienischer Herkunft, versucht durch konsequentes Lesetraining ihre Sprachfähigkeit zu entwickeln und so einen Ausbildungsplatz zu erhalten. „Ja, wenn ich brauch so einem Monat, so ein Buch zu lesen, ja, weil ich auch noch ne Menge schreiben muss und so mach ich ganz langsam und dann guck ich auch die Wörter, die ich net verstehe. ... Muss ich auch wegen mein Deutsch." [M., 119–125]. Sie orientiert sich in ihren Leseinteressen an dem, was „wichtig" ist, was Bedeutung für ihr Leben hat.

Ali, „kein Typ, der gern liest", erinnert sich äußerst lebendig und durchaus mit positiven Emotionen an die intensive Lektüre von Plenzdorfs *Die neuen Leiden des jungen W.*, ein Text, den er sich in intensivem Austausch mit dem Sozialarbeiter eines Frankfurter Jugendzentrums erschloss. Zumindest bei Maria und Ali ist die Lesepraxis auch von einer Pflicht getragen: Sie gehört zu

---

[11] Werner Graf unterscheidet als einen Modus gegenwärtiger Lesepraxis die „instrumentelle Lesehandlung": „Der Text ist das Hilfsmittel, um auf ökonomischem Weg eine bestimmte Absicht zu verfolgen." (Graf 2001, S. 207). Unter den Bedingungen von Mehrsprachigkeit lässt sich dieser Typus erweitern: Nicht der Text oder sein Inhalt ist das Hilfsmittel, sondern die Technik des Lesens wird zum Instrument.

den Bedingungen schulischen Erfolgs, den beide anstreben.[12] Auch darin unterscheidet sich eine solche Lesepraxis vom Konzept des intimen, genussorientierten Lesens.

Eine weitere Facette instrumentellen Lesens, die in Genusserfahrungen übergehen kann, zeigt sich bei einer Gruppe männlicher Interviewpartner, die in Verfolgung spezifischer thematischer Interessen[13] insbesondere Zeitschriften lesen: Stefan, dessen Hauptmedium der Computer ist, greift in diesem Zusammenhang auf Printmedien zurück: „Ich lese meistens die *Computer-Bild, PC-Games.* Dann noch *PC-Star* und so Sachen eben. ... Wenn interessante Themen drinnen sind, kauf ich sie ... ein Freund von mir kauft sie immer, dann geh ich zu ihm und les da die Zeitschrift." [St., 279–283].

2. Intimes, genussorientiertes Lesen

Genussleserinnen mit regelmäßiger Praxis stellen gleichsam die Exoten im Sample dar. Für Halima, Tuba und Susan übernimmt Lektüre Funktionen der Selbstvergewisserung und Identitätsentwicklung. Laura kennt diese Erfahrung zumindest, ohne dass dies in eine regelmäßige Praxis führte.

Interviewte, die viel und intensiv lesen bzw. gelesen haben, sind mithin ausschließlich junge Frauen: Susan ist in einer lesefördernden Familie aufgewachsen und hat eine extensive kindliche Lesephase durchlebt. Aufgrund der aktuellen Lebensumstände (sie ist Mutter eines Kleinkindes) habe sie nur noch wenig Gelegenheit zum Lesen, was sie selbst bedauert. Die schulische Laufbahn ist geprägt durch einen Wechsel vom Gymnasium zur Hauptschule, der einher ging mit einer radikalen Veränderung des Deutschunterrichts. Der literaturgeprägte Gymnasialunterricht wurde ersetzt durch Tageszeitungslektüre, Gedichte-Schreiben und Grammatiktraining. Für die Interviewte boten sich hier keine Leseanregungen. Gleichwohl verfügt sie über eine vergleichsweise ausgeprägte Lektürepraxis in ihrer Biografie und entsprechende Kompetenzen.

Laura genießt es besonders, in einen langen Roman förmlich einzutauchen und das Leseerlebnis zu inszenieren. Zum Jahrtausendwechsel hat sie Barbara Wood, *Die Prophetin* gelesen: „I: Und das haste dann irgendwie so in den Ferien mal in so in einem Rutsch durchgelesen? (L: ja) Auch so im Bett oder L: Im Bett, ja. Immer eingekuschelt, war ja Winter, war ja kalt halt. Heizung voll aufgedreht." [L., 119–129]. Allerdings liest sie gegenwärtig eher selten. Das Gratifikationserlebnis ist lediglich Erinnerung.

---

[12] Als 4. Modus seiner neuen Typologie unterscheidet Werner Graf die „Pflichtlektüre – Lesen im Bildungs- und Arbeitszusammenhang" (Graf 2001, S. 213). Im weiteren Sinne sei dieser als „instrumentelles Handeln" beschreibbar (S. 214).

[13] Vgl. zum Modus des Interessenkonzepts (ebda., S. 216).

Die Genussleserinnen Halima, Tuba, Laura und Susan sind die bisher einzigen, die eine außerschulische literarische Lesepraxis erkennbar werden lassen.[14]

V. LESEPRAXEN MÄNNLICH – WEIBLICH

In unserem Untersuchungssample sind es Frauen, die im allgemeinen Trend des Nichtlesens als Genussleserinnen hervortreten. Sie wenden sich aktiv dem Medium Lesen zu und setzten es für ihre Lebensinteressen ein. Damit bestätigen sich hier auch die Aussagen einer Deutschlehrerin, die explizit auf die geschlechtsspezifischen Differenzen verwies. Mädchen würden häufiger, intensiver und engagierter als Jungen Lektüreangebote annehmen. Sie antwortete auf eine entsprechende Frage nach der Freizeitlektüre ihrer Schülerinnen und Schüler: „Eher bei den Mädchen … Es gibt ein paar Mädchen aus meiner Klasse, die lesen schon, glaub ich, ganz regelmäßig, ja. Die lesen aus diesem Grund vielleicht, ich weiß in der Zwischenzeit haben sie's auch besetzt, da steht dann bei Hobbies Lesen." [M., 407–420].

Während diese Deutschlehrerin zusammenfassend formuliert, dass es Mädchen tendenziell leichter falle als Jungen, Zugang zu Literatur und deren Analyse zu finden [M., 210–220], ist es einer anderen Expertin vor dem Hintergrund ihrer Unterrichtserfahrung mit Ganzschriften und produktionsorientierten Lyrikeinheiten wichtig, geschlechtsspezifische Differenzen nicht vorschnell festzuschreiben. Zwar stellt auch sie Unterschiede in der Artikulationsweise zwischen Mädchen und Jungen fest, betont aber, dass daraus nicht auf die Intensität der Lektüreerfahrung geschlossen werden könne [L., 172–182, 279–284].

Bestätigt werden damit Ergebnisse der Leseforschung der letzten Jahre: Hier möchte ich im Folgenden auf zwei Veröffentlichungen hinweisen. *Das Lesebarometer – Lesen und Umgang mit Büchern in Deutschland*[15] gibt Aufschluss über das Leseverhalten von Kindern und Jugendlichen im Bildungsverlauf. Deutlich werden gravierende Unterschiede aufgrund der Schulform. Nur elf Prozent der Schülerinnen und Schülern an Hauptschulen erreichen hohe bis sehr hohe Werte[16] im Gegensatz zu den Schülerinnen und Schülern an Gym-

---

[14] Vgl. Garbe 1993, Rosebrock 1993, Gilges 1992.

[15] Harmgarth 1999.

[16] Das Lesebarometer stellt ein neues Maß für die Lesegewohnheit dar. Als Grundlage dient ein additiver Index, in dem die verschiedenen Lesefaktoren miteinander kombiniert werden: Lesehäufigkeit, Lesemenge, Lesefreude, Lesemotivation und weitere Einstellungen (vgl. Harmgath 1999, S. 12).

nasien, die zu 46 Prozent hohe bis sehr hohe Werte angeben. Mädchen weisen im Vergleich zu den Jungen höhere Werte auf.[17]

**Lesebarometer in den verschiedenen Schulformen
(Klassen 7 bis 10) in %**

	Hauptschule	Realschule	Gymnasium	Mädchen	Jungen
Sehr hoch	1	4	11	9	2
Hoch	10	18	35	31	15
Mittel	24	22	28	30	23
Niedrig	29	24	12	14	27
Sehr niedrig	16	14	4	6	18

Quelle: Bertelsmann Stiftung, Harmgarth 1997, S. 26; nicht-repäsentative Befragung, eigene Zusammenstellung[18]

Die Mädchen unterscheiden sich hier nicht nur durch höhere Werte auf dem Bildungsbarometer, sondern auch durch unterschiedliche Vorlieben bei der Lektüre. So bevorzugen die Mädchen (7. bis 10. Klasse) Liebesgeschichten, Mädchenbücher, Jugend- und Erwachsenenromane, Familiengeschichten, Tiergeschichten, Märchen und ‚wahre Geschichten'. Jungen bevorzugen Comics, Science Fiction, Cowboy- und Indianerbücher sowie Grusel- und Horrorbücher. Abenteuer, Krimi, Fantasy und Reiseerzählungen finden bei beiden Geschlechtern ähnliche Zustimmung [vgl. Harmgarth 1999, S. 23].

Die Untersuchung von Jürgen Bofinger u.a. zum Freizeit- und Medienverhalten von Hauptschülern[19] bestätigen die Ergebnisse des Lesebarometers. Zu berücksichtigen ist dabei, dass für die Jugendlichen mit niedrigem Bildungsabschluss „Bücher lesen" im Verbund möglicher Freizeitaktivitäten am unteren Ende einer Skala von 29 Möglichkeiten steht. Auch Hauptschülerinnen lesen bevorzugt Jugendzeitschriften, Mädchenzeitschriften, Jugendbücher und -romane, Liebesromane und -hefte, Natur- und Tierzeitschriften. Im Gegensatz dazu bevorzugen die Hauptschüler Sportmagazine, Computerzeitschriften, gefolgt von Jugendzeitschriften sowie von Auto-, Motorrad- und Motorsportmagazinen.

---

[17] Kritisch ist anzumerken, dass diese Daten nicht getrennt nach Schulbesuch differenziert bzw. die prozentuale Verteilung der Geschlechter in den einzelnen Schulformen nicht in die Auswertung einbezogen wurde. Befinden sich in den Hauptschulzweigen prozentual mehr Jungen, so kumuliert dieser Umstand mit der Geschlechtsspezifik.

[18] Grundlage der Untersuchung: Interviews mit 4461 SchülerInnen aus sechs Städten aus den Jahren 1995 und 1996. Vgl. hierzu Harmgarth 1997, S. 21 ff.

[19] Bofinger u.a. 1999.

VI. AUSBLICK

Herkunftsmilieu, Bildungsverlauf sowie Geschlechtszugehörigkeit prägen die Lesesozialisation von Kindern und Jugendlichen dominant. Die Ergebnisse der Frankfurter Hauptschulabsolventinnen und -absolventen heben darüber hinaus als wichtigen Einflussfaktor den Erwerb des Deutschen als Lese- und Schriftsprache hervor.

Lesen ist bei allen Jugendlichen erst am Ende einer längeren Reihung von Freizeitaktivitäten zu finden. Fern- und Videosehen, Radio hören oder sich mit dem Computer beschäftigen sind die vorherrschenden Aktivitäten der Jugendlichen mit einen niedrigen Bildungsabschluss.

Bei den Meisten ist Lesen mit Anstrengung und schulischen Versagenserfahrungen verbunden. Nur wenigen – und dies sind die Mädchen – gelang es durch eigene Kraftanstrengung und mit Unterstützung von außerhäuslichen Mentorinnen bzw. Mentoren Lesen zu einer Genusserfahrung werden zu lassen, die sie nicht mehr missen möchten.

LITERATUR

Bofinger, Jürgen u. a.: Das Freizeit- und Medienverhalten von Hauptschülern. Eine explorative Studie über Hintergründe und Zusammenhänge. München 1999

Deutsches PISA-Konsortium (Hg.): PISA 2000. Basiskompetenzen von Schülerinnen und Schülern im internationalen Vergleich. Opladen 2001

Garbe, Christine: Frauen – das lesende Geschlecht? Perspektiven einer geschlechtsdifferenzierten Leseforschung. In: Frauen Lesen. Literatur & Erfahrung 26/27 (1993)

Gilges, Martina: Lesewelten. Geschlechtsspezifische Nutzung von Büchern bei Kindern und Erwachsenen. Bochum 1992

Graf, Werner: Lektüre zwischen Literaturgenuss und Lebenshilfe. Modi des Lesens – eine Systematisierung der qualitativen Befunde zur literarischen Rezeptionskompetenz. In: Leseverhalten in Deutschland im neuen Jahrtausend. Eine Studie der Stiftung Lesen, 2001 (Schriftenreihe „Lesewelten" 3), S. 199–224

Harmgarth, Friederike (Hg): Das Lesebarometer – Lesen und Umgang mit Büchern in Deutschland. Eine Bestandsaufnahme zum Leseverhalten von Erwachsenen und Kindern. Gütersloh 1999

Hurrelmann, Bettina u.a.: Leseklima in der Familie. Lesesozialisation. Bd. 1. Gütersloh 1993

Pieper, Irene / Wirthwein, Heike u.a.: Schlüssel zum Tor der Zukunft? Zur Lesepraxis Frankfurter HauptschulabsolventInnen. In: Didaktik Deutsch 13 (2002), S. 33–59

Richter, S. / Brügelmann, H. (Hg.): Mädchen lernen ANDERS lernen Jungen. Geschlechtsspezifische Unterschiede beim Schriftspracherwerb. 2. Aufl. Lengwil 1996. (DGLS-Reihe „Lesen und Schreiben")

Rosebrock, Cornelia: Geschlechtscharakter und Lektürepraxis. In: Mitteilungen des deutschen Germanistenverbandes 40 (1993), S. 29–40

Rosebrock, Cornelia / Zitzelsberger, Olga: Der Begriff Medienkompetenz als Zielperspektive im Diskurs der Pädagogik und Didaktik. In: Medienkompetenz Voraussetzungen, Dimensionen, Funktionen. Hrsg. von Norbert Groeben u. Bettina Hurrelmann. München u.a. 2002

Thomas Eicher

SPASS UND ERNST DES LESENS. ZUR UNVEREINBARKEIT VON LESELUST UND BILDUNGSLEKTÜRE

Mit Dégout betrachtete Bernie diese aus den Fugen geratene Inkarnation der geistigen Verelendung. Wie sollte er diesen Zombies nahebringen, was es bedeutet, eine Welt aus Sprache zu schaffen? Was ahnten sie von den sprachlichen Ligaturen und Gliederungen der Wahrnehmung, der verbalen Organisation der Sichtfelddimensionierung? Was konnten sie je begreifen von der Abgründigkeit der Opakisierungswirbel und dem blendenden Glanz gestaffelter Kaskaden von Oszillationsparadoxien?[1]

Diese Gedanken des Literaturwissenschaftlers Bernd Weskamp in Dietrich Schwanitz' Roman *Der Campus* spiegeln nicht nur die blanke Verachtung wider, die den Hochschullehrer während eines Gesprächs zur Prüfungsvorbereitung angesichts einer unbelesenen Kandidatin ergreift. Sie zeugen auch von der Begeisterung, mit der der professionelle Leser ,seiner' Literatur begegnet. Und diese Begeisterung ist es ja vielfach, die Literaturvermittler (vor allem Lehrende an Hochschulen und Schulen) weitergeben wollen. Die Lust an der Literatur prägt – innerhalb solcher Vermittlungsvorgänge, aber auch in der Außendarstellung der schreibenden Zunft – gleichsam per se das Verhältnis zwischen Leser und literarischem Text. Thomas Anz hat dieser Lust vor einigen Jahren eine differenzierte Abhandlung gewidmet. Auf dem Weg zu einer „literaturwissenschaftlichen Hedonistik"[2] leuchtet er sie aus anthropologischer, ästhetischer und psychologischer Perspektive aus. Dabei hat er in der Tradition der Rezeptionsästhetik primär die Texte selbst und ihre Wirkungsmechanismen im Auge.

Wer liest, will Lust. Es gibt viele andere Namen für das, was wir beim Lesen suchen: Vergnügen, Spaß, Genuss, Entspannung, Wohlgefühl, Freude, Glück. Doch wie „Lust" lässt jeder dieser Namen offen, was damit im ein-

---

[1] Schwanitz 1995, S. 191.
[2] Anz 1998, S. 8ff. passim.

zelnen gemeint ist. Es gibt eine Vielfalt von Bedürfnissen, die sich mit Literatur lustvoll befriedigen lassen: das Begehren nach Schönheit, nach emotionaler Erregung, nach befreiendem Lachen, nach kontemplativer Ruhe, nach moralischer Erbauung oder auch nach dem Glück der Erkenntnis. Etliche andere Bedürfnisse lassen sich durch Literatur zwar intensivieren, aber nur außerliterarisch befriedigen.[3]

Die Lustempfindungen werden stimuliert durch das Schöne, das Schreckliche, die Spannung, den Witz und die Pornographie, die natürlich alle ein spezifisches Verhältnis zur Wirklichkeit des Lesers eingehen. Die professionelle Leselust der Literaturwissenschaftler hat dagegen ihre Unmittelbarkeit eingebüßt. Sie zielt auf eine „Bewältigung des Schwierigen"[4], für die Anz drei Typen findet: Da ist einmal der „strukturale Textanalytiker", der seine Lust an der Systematisierung von Wiederholungsstrukturen findet[5], der Literarhistoriker, der dem Reiz erliegt, „literarische Werke, auch wenn sie sich dafür nur begrenzt eignen, als Abbildungen oder Widerspiegelungen biographischer, sozialer, politischer oder kultureller Realitäten zu lesen"[6], oder jener ‚Wissenschaftshedonist', der eine „Freude am Erkennen von intertextuellen Bezügen"[7] empfindet, die freilich mit Fortschreiten der Lesekarriere oder auch dem Professionalisierungsgrad der Lektüre immer zahlreicher werden sollen. Die Leselust des professionellen Lesers weiß darüber hinaus um unterschiedliche ‚Schwierigkeitsgrade' der Texte und passt sich ihnen durch Variationsreichtum der Lesetechniken an.[8]

Es fragt sich jedoch, ob der professionelle Umgang mit Literatur nicht ohnedies einem lustvollen Rezipieren im Wege steht (vielleicht schon allein deshalb, weil er wissenschaftlichen Regeln gehorcht). Solches klingt auch bei Anz an, wenn er die Reaktion der Literaturwissenschaftler auf Roland Barthes' *Die Lust am Text* beschreibt:

Es war, als hätten sie sich von dem französischen Kultursemiotiker freudig oder auch mit schlechtem Gewissen an einen Aspekt des Lesens erinnern lassen, der ihnen bei der professionellen Arbeit am Text abhanden gekommen war, den sie schon fast vergessen, den sie schamhaft verschwiegen oder ihren Studenten [...] sogar systematisch ausgetrieben hatten.[9]

---

[3] Ebda., S. 229.
[4] Ebda., S. 70.
[5] Vgl. ebda., S. 69.
[6] Ebda., S. 70.
[7] Ebda., S. 69.
[8] Vgl. ebda., S. 110f.
[9] Ebda., S. 21.

Gewiss – es geht dem Poststrukturalismus u.a. um die Leselust, nicht zuletzt um eine Aufwertung des Lesers innerhalb der Trias von Autor, Text und Rezipient. Doch diese Aufwertung ist zugleich auch eine Abwertung der übrigen Instanzen des Kommunikationsmodells. Die Betonung des lustvollen Lesens ist in diesem Kontext Kritik an herrschenden Wissenschaftsdoktrinen. Und diese Inanspruchnahme des Lesens erfolgt freilich auch eingedenk der gleichsam revolutionären Kapazität, die der Literaturlektüre eignet. Lesen ist immer ein Befreiungsakt, und auch daher rührt sein Lustgewinn: Affektbefreiung, befreiendes Lachen, Befreiung von den Zwängen der Wirklichkeit – all dies verspricht die Lektüre.[10] Kein Wunder also, wenn man sie wie Barthes und andere gegen das Wissenschafts-, Kultur- und Kunstestablishment in Anschlag bringt.[11]

Aber es geht hier natürlich nicht nur ums Lesen, sondern um die Interpretation als Wissenschaftspraxis. Susan Sontag hat das – früher als Barthes und unter anderen Bedingungen jenseits der politischen und geistesgeschichtlichen Entwicklungen in Europa[12] – mit ihrer berühmt gewordenen Titelformulierung *Against Interpretation* auf den Punkt gebracht. Sie wendet sich mit der Forderung einer „Erotik der Kunst"[13] dezidiert gegen eine hermeneutische Tradition des Deutens. Die Produkte dieser Tätigkeit schieben sich ihrer Meinung nach zwischen Werke und Rezipienten; sie verhindern als „Rache des Intellekts an der Kunst"[14] jene sinnliche Aufnahme von Kunst, die erst den eigentlichen Lustgewinn verspricht. „Heute geht es darum, daß wir unsere Sinne wiedererlangen."[15] Diese Sinnesschärfung ermögliche dann ein gleichsam mystisches Einswerden mit dem Kunstwerk.

Wer Germanistik studiert, der sieht sich indessen oft genug um diese Unmittelbarkeit des Zugangs zur Literatur geprellt. Er wird nicht nur mit zu erlernenden Instrumentarien der Texterschließung konfrontiert, sondern auch mit kanonischen Leselisten, die Lesestoff und -pensum regeln. Da scheint es zunächst zu überraschen, wenn in einem Einführungswerk der Literaturwissenschaft die Lektüre als besonders privilegierte Arbeit beschrieben wird, die man, zurückgezogen in die häusliche Einsamkeit, sogar „genußvoll auf dem Kanapee ausgestreckt"[16] verrichten könne.

---

[10] Ebda., S. 232f.
[11] Eagleton 1988 macht darüber hinaus klar, daß diese Form des ‚anarchischen' Poststrukturalismus auch eine Reaktion auf den politischen Aufruhr von 1968 und das Scheitern ist: „Unfähig, die Strukturen der staatlichen Macht zu brechen, stieß der Poststrukturalismus auf die Möglichkeit, stattdessen die Strukturen der Sprache zu untergraben" (ebda., S. 127).
[12] Zur besonderen Situation in Amerika vgl. Spree 1995, S. 60–70.
[13] Sontag 1968, S. 18.
[14] Ebda., S. 13.
[15] Ebda., S. 17.
[16] Koch 1997, S. 4.

Die Dichotomie von Pflicht- und Unterhaltungslesen ist solchem Reden inhärent. Doch gelingt es unter Selektionsdruck nicht, die Entspannung mit der Forderung nach Belesenheit zu vereinbaren. Hinter dem Versuch, intellektuelle Arbeit in Genuss umzustilisieren, steckt indessen eine Verabsolutierung des Hochschullehrer-Habitus. Der jedoch abstrahiert die individuelle Erfahrung und macht die Lektüre zum Idealkonstrukt, an dem sich Studierende und Lehrende gleichermaßen abzuarbeiten haben.

Der Spaß am Lesen wird in Bildungskontexten stets vom Ernst des Lebens eingeholt. Lektüre erscheint im Kontext einer „[l]iterarische[n] Sozialisation unter institutionellen Bedingungen"[17] nicht selten als Zwang. Der bis heute ungebrochene pädagogische Wille zur Erzeugung von Leselust ist gleichwohl uralt. Schon bei Heinrich Wolgast (1896) spielt er eine nicht unerhebliche Rolle. Von der „Lust"[18] ist bei ihm freilich nur in Ausnahmefällen wörtlich die Rede, zumeist stattdessen von „ästhetische[m]"[19], „poetische[m]"[20] oder „literarische[m] Genuß"[21]:

> Gewiß sollen die Kinder nicht alles lesen, woran sie Gefallen (*Genuß*) finden, aber ebenso gewiß soll alles, was sie an dichterischen Erzeugnissen lesen, ihnen Genuß bereiten. Wir wollen ein genußfrohes Geschlecht erziehen. Alle Asketik ist an der ununterdrückbaren Lebensfreude gescheitert; wohl aber hat sie den Begriff des Genusses verdächtigt und die Kultur desselben hintangehalten. [...] Die Kultur des poetischen Genusses ist vielleicht der wichtigste Teil der künstlerischen Erziehung [...].[22]

Was sich da jedoch anhört wie eine hedonistische Pädagogik, ist andererseits auch ein Plädoyer für eine rigide Selektion erziehungsgeeigneter Literatur unter Beschränkung auf ‚wahre Dichtung' in einer Frontstellung gegen bloße Unterhaltung. Und so geht es schon Wolgast um eine Indienstnahme der Leselust für gleichsam höhere Zwecke:

> Wie jeder geistige Genuß wirkt auch der künstlerische erhebend: [...] Die Freude weitet das Herz. Da ist es bereitet, die großen Regungen der Selbstzucht und Nächstenliebe zu hegen und zu Willensakten auswachsen zu lassen.[23]

---

17 Eggert / Garbe 1995, S. 135.
18 Wolgast 1950, S. 40.
19 Ebda., S. 24ff. passim.
20 Ebda., S. 25ff. passim.
21 Ebda., S. 23ff. passim.
22 Ebda., S. 42.
23 Ebda., S. 61f.

In Umkehrung der bekannten Maxime, die die Arbeit dem Vergnügen vorausgehen lässt, verspricht das Lesevergnügen also gewissermaßen Arbeitsbereitschaft, sei es auch nur Arbeit des lernenden Lesers an sich selbst und der Wahrnehmung seiner Umwelt. Das Lesen wäre somit Katalysator der „Charakterentwicklung unserer Jugend"[24], es stellt aber nicht nur im Ergebnis Anknüpfungspunkte pädagogischer Bemühungen zur Verfügung, sondern setzt auch ebensolche Bemühungen voraus. Diese nutzen ihrerseits das mit dem Lesen verbundene Lustargument zur Attraktivitätssteigerung eines Vorgangs, an dessen Ende wiederum Lern- bzw. Lehrleistungen stehen. „Der kindliche Geist will gelockt werden."[25] Und dafür bieten sich die Lustversprechungen des Lesens an. So ist es, mit dem von Richard Bamberger geprägten und von Peter Conrady inzwischen weitverbreiteten Slogan, durchaus statthaft, „zum Lesen [zu] verlocken"[26].

„[…] Lehrer wissen", so formuliert es denn auch Karlheinz Fingerhut,

> daß Lektüre im Sinne der Verhaltensziele nur dann erfolgreich ist, wenn sie lustvoll war und eine positive emotionale Besetzung behält. Anders als die Gegenstände der Mathematik oder Biologie machen die Gegenstände des Literaturunterrichts nur Sinn, wenn sie unmittelbar und spontan als bereichernd erlebt werden.[27]

Schüler wie Studierende aller Generationen müssen immer wieder aufs neue lernen, dass das Lesen – anders als die lustbetonten Programme der Pädagogik und der Literaturwissenschaft bisweilen suggerieren – eingebunden ist in soziale Prozesse, genauso wie etwa das Spiel. Wenn Dieter Wellershoff die Literatur als einen „der Lebenspraxis beigeordnete[n] Simulationsraum" bezeichnet, als „Spielfeld für ein fiktives Handeln, in dem man als Autor und als Leser die Grenzen seiner praktischen Erfahrungen und Routinen überschreitet, ohne ein wirkliches Risiko dabei einzugehen"[28], dann reformuliert er damit die in der Deutschdidaktik vielfach hervorgehobene Fähigkeit der Literatur zur Modellbildung sozialen Handelns.

Die Metapher vom Spielfeld vernachlässigt indessen die Tatsache, daß die Literaturlektüre, wie jede Art von Kunstgenuß oder -konsum immer schon selbst soziales Handeln ist und auch entsprechenden zu erlernenden Regeln unterliegt. Die Lesesozialisationsforschung bringt hier z.B. die Lerntheorie Banduras in Anschlag,[29] aufgrund derer sich soziales Verhalten als Ergebnis

---

[24] Ebda., S. 62.
[25] Ebda., S. 37f.
[26] Conrady 1995.
[27] Fingerhut 1995, S. 87.
[28] Wellershoff 1971, S. 22.
[29] Vgl. dazu Bandura 1979.

eines Bekräftigungslernens erklären läßt: Auch Lesen ist ein im sozialen Raum erlerntes Verhalten, dessen Erwerb – behaviouristisch gedacht – durch Bekräftigungen aus dem gesellschaftlichen Umfeld, anfangs innerhalb der Familie, später aber vor allem aus den durchlaufenen Instanzen des Bildungswesens, beeinflußt wird. Wer liest – und natürlich auch, wer Literatur liest –, hat Gratifikationen zu erwarten.

Was und wie gelesen wird, entscheidet mit über Teilhabe an und Ausschluss aus gesellschaftlichen Gruppen. Pierre Bourdieu hat diesen Befund zum Funktionsprinzip eines Distinktionssystems sozialer Hierarchien gemacht. Treffsicherheit im ästhetischen Urteil ist nach Bourdieu konstitutiver Bestandteil eines die Zugehörigkeit zu einer gesellschaftlichen Klasse signalisierenden „Habitus",[30] der seinerseits u. a. auf „kulturellem Kapital" basiert.[31] In *La Distinction*, in der deutschen Übersetzung *Die feinen Unterschiede*, entwickelt Bourdieu die Begriffsopposition von populärer und legitimer Ästhetik,[32] indem er an zahlreichen Beispielen aus Musik, bildender Kunst und Literatur die Abhängigkeit des Geschmacks vom sozialen Status des Rezipienten nachweist.

Für die populäre Ästhetik ist eine identifikatorische Lektüre konstitutiv. Sie fragt nach dem Inhalt des Kunstwerks und basiert auf einem Zusammenhang von Kunst und Leben, „anders gesagt, auf der Weigerung, jene Verweigerungshaltung mitzuvollziehen, die aller theoretisch entfalteten Ästhetik zugrundeliegt"[33]. Verfremdung und Leerstellen im Kunstwerk führen dagegen zu einer größeren Distanz bei der Rezeption. Diese Blockade des affektiven Zugangs fordert eine intellektuelle Herangehensweise, die den Stellenwert des Kunstwerks an formalen Kriterien festmacht. Ein solcher Zugang jedoch setzt die gleichsam gewachsene Kenntnis der literarischen Tradition voraus, innerhalb derer sich der Wert des Gelesenen vergleichend entfalten lässt. Bourdieu nennt diese Ästhetik *legitim* und nimmt so die Perspektive der herrschenden Klasse ein. Er geht damit zugleich von einer vertikalen Schichtung der Gesellschaft aus, die ‚Kämpfe' um Auf- oder Abstieg von Gruppen ebenso kennt wie selbststabilisierende Abgrenzungen nach ‚unten'.

Herrschende soziale Gruppen kultivieren und stilisieren demnach einen Geschmack, durch den sie sich von anderen Gruppen absetzen. Dabei zielt die Ausbildung dieses sprichwörtlich ‚guten' Geschmacks ganz bewusst auf die Unterschiede zur populären Ästhetik. Diese Distinktion kann man hingegen nicht erlernen, weil sie einem Traditionalismus der kulturellen Besitzstände

---

[30] Vgl. zum Habitusbegriff auch Schwingel 1995, S. 53–69.
[31] Vgl. zum kulturellen Kapital auch ebda., S. 83–87.
[32] Vgl. Bourdieu 1982, S. 64–68.
[33] Ebda., S. 64.

verpflichtet ist. Bildung wäre solchermaßen nicht als Wissenserwerb über Kunst zu denken, sondern vor allem als Anhäufung von Kunsterfahrung – über Generationen hinweg.

Lektüre dient unter solchen Bedingungen dem Klassenerhalt des einzelnen, sie ist aber auch gesellschaftlich geregelt. Die Gratifikationen des Lesens scheinen damit ebenfalls vorprogrammiert: Unterhalb einer überindividuellen Verständigungs- und Selbstvergewisserungsebene, die die Angehörigen der herrschenden Schicht über die legitime Ästhetik miteinander verbindet und von den anderen Schichten abhebt, verpflichtet es auf einen Kanon des A-mimetischen, Formbewussten, Experimentellen o. ä. Diese Distinktionen leben „von der Akzentuierung dessen [...], was das Lesen als schwere, nämlich (unendliche) Bildung fordernde Praxis erscheinen läßt"[34]. Das schließt natürlich in keiner Weise aus, dass hier nicht auch zur Unterhaltung gelesen würde, obwohl (intentionale) Unterhaltungsliteratur bestenfalls auf einer Metaebene, etwa im Hinblick auf ihre strukturellen Eigenheiten, auf legitimem Wege wahrnehmbar wäre. Dennoch müsste in diesem Sinne Unterhaltung immer ein intellektuelles Vergnügen bedeuten, das eine affektive Lektüre im Grunde ausschließt.

Michael Kämper-van den Boogaart hat Bourdieus soziologisches Modell im Lichte der neueren Entdifferenzierung des literarischen Feldes und der damit einhergehenden Multiplikation von Ästhetiken im nach-modernen Zeitalter kritisch geprüft. Er parallelisiert die Pluralisierungstendenzen im Zeichen von Fiedlers *Cross the Border – Close the Gap*[35] mit dem Aufkommen der sogenannten Erlebnisgesellschaft, die von einer neuen Mittelschicht getragen wird, deren Hedonismus die althergebrachten Distinktionen und ihre Verschleierungsstrategien zugunsten einer ‚Innenausrichtung' der diversen Rezeptionstätigkeiten verabschiedet. Unter solchen Bedingungen fallen Klassifikationen zunehmend schwerer. Kunst- und Unterhaltungsliteratur nähern sich auf diese Weise scheinbar ebenso einander an wie fiktionale und nichtfiktionale Texte.

Dienten die Gratifikationen des Lesens bei Bourdieu noch einer sozialen Selbstvergewisserung, so stellt die ‚Spaßkultur' den Unterhaltungswert der Lektüre und der zu lesenden Texte in den Vordergrund. „Ganz offensichtlich ist bereits Mitte der achtziger Jahre [...] eine Umstellung der intellektuellen Milieus erfolgt, die die habituelle oder spontane Diskriminierung profaner Leselust erschwert [...]."[36] Was das aber für Auswirkungen auf die Verbindlichkeit der Bildungsinhalte hat, ist kaum abzusehen.

---

[34] Kämper-van den Boogaart 1997, S. 194.
[35] Vgl. Fiedler 1969.
[36] Kämper-van den Boogaart 1997, S. 196.

Gleichsam quer zur sozialen Gruppenbildung liegen, wie es die Systemtheorie herausgearbeitet hat, soziale Funktionssysteme, autonome, aber doch
nicht autarke Felder,[37] die sich, ähnlich wie die von Bourdieu analysierten Ge-
sellschaftsklassen, in Abgrenzung und Differenzierung von den sie umgeben-
den Systemen definieren und ihre eigenen symbolisch generalisierten Kom-
munikationsmedien ausbilden.[38] Das literarische System, dem man die Rezeption kunstliterarischer Texte zurechnen müsste, ist eines unter vielen. Ihm
fällt vor allem der Freizeitbereich zu und dort die Funktion der Unterhaltung.[39] Die klassische Dichotomie von ,delectare' und ,prodesse' scheint damit überraschend amputiert. Sie verweist indessen auf eine funktionale Spaltung, die darauf hindeutet, dass identische Texte (sowohl fiktionale als auch
nicht-fiktionale) von unterschiedlichen Funktionssystemen in Dienst genommen werden können. Belehrung kann moralischen, Erziehung pädagogischen
Zwecken dienen, sie sind also deren Funktionssystemen zuzuordnen. Die Inanspruchnahme der Literatur durch den Bereich der Bildung verkennt also
die Autonomie des literarischen Systems.

Und dennoch behauptet die Literaturlektüre im Bildungswesen ihren festen Platz. Das lässt sich nicht zuletzt mit einem spezifischen Traditionalismus
begründen: Das Bildungssystem ist mit den Worten Pierre Bourdieus und
Jean-Claude Passerons von „Trägheit" geprägt, „die für eine Institution cha-
rakteristisch ist, welche die Aufgabe hat, die Kultur einer Gesellschaft zu be-
wahren und weiterzugeben"[40]. Verbunden mit dem „Privileg[ ] der Selbstre-
produktion"[41] entsteht hier eine „relative Autonomie"[42] (wie sie auch die Systemtheorie hervorhebt), die ,Anleihen' aus anderen Funktionssystemen –
eben auch solche aus dem literarischen – in ihre eigene Logik übersetzt. Die
konservatorische Funktion des Bildungswesens zeigt sich hingegen auch
darin, daß es „noch heute vor allem auf seine korporative Selbstperpetuierung
abzielt"[43]. Dass dieses Streben nach Selbstperpetuierung auch die zu konser-
vierenden und zu vermittelnden kulturellen Handlungsformen und -inhalte
erfasst, ist naheliegend.

Die Gratifikationen, mit denen der an und mit literarischen Texten ler-
nende Leser innerhalb seiner Ausbildung zu rechnen hat, sind freilich andere
als die, mit denen sein Lesen im zunehmend individualisierten Freizeitbereich
belohnt wird. Zwischen Pflicht- und Freizeitlektüre herrscht eine scharfe Tren-

---

[37] Vgl. dazu Werber 1992, S. 9–27.
[38] Vgl. Luhmann 1991, S. 170–192.
[39] Vgl. Plumpe / Werber 1993, S. 32–35.
[40] Bourdieu / Passeron 1971, S. 165.
[41] Ebda.
[42] Ebda., S. 167.
[43] Ebda., S. 170.

nung. Dient das Freizeitlesen vor allem der Unterhaltung, so verpflichtet das Lesen in Deutschunterricht und Germanistik-Studium – möglicherweise auch aufgrund der oben hervorgehobenen Trägheit – auf quantitative und qualitative Setzungen etwa durch einen Lektürekanon oder bestimmte Methoden der Interpretation. Hinzu kommt die Auslesefunktion des Bildungswesens, die als Gratifikationen für das systemkonforme Lesen Noten und Zertifikate bereithält.

Damit deutet sich eine Spaltung an, die weitreichende Folgen haben könnte: Weil Bildung weiterhin auf Hierarchien setzt und das Bildungslesen weiterhin an bürgerlichen Normen orientiert ist, während der Freizeitbereich und die dort gepflegte Lektüre enthierarchisiert erscheinen, gereicht ein Sozialisationsmilieu, das – gewissermaßen gegen den Trend – auf überkommene Distinktionen setzt, seinen Abkömmlingen zweifellos zum Vorteil. Schule z. B. würde, so gesehen, die Entdifferenzierung der Gesellschaft konterkarieren, solange sich nicht der Stellenwert von Literatur im Unterricht verändert. Denn Pluralismus und individuelle Lektüren lassen sich kaum einer gegebenen Notenskala einpassen.

Spaß am Lesen zu haben, ist also keineswegs eine Selbstverständlichkeit – schon gar nicht im Dunstkreis der Hochschulgermanistik. Man wird sich in diesem Kreis immer sehr genau über die gültigen Konventionen der Leselust verständigen müssen und sich dabei nolens volens als Gefangener der legitimen Ästhetik Bourdieus wiederfinden. Ein ,circulus vitiosus', für dessen Überwindung Schul- und Hochschuldidaktik bislang keine weit genug reichenden Rezepte anzubieten haben.

Um die Literatur und ihren Fortbestand muss man sich in diesem Zusammenhang freilich keine Sorgen machen. „Wenn sie aufgehört hat, als Statussymbol, als sozialer Code, als Erziehungsprogramm zu gelten, dann werden nur noch diejenigen die Literatur zur Kenntnis nehmen, die es nicht lassen können."[44]

LITERATUR

Anz, Thomas: Literatur und Lust. Glück und Unglück beim Lesen. München 1998

Bandura, Albert: Sozial-kognitive Lerntheorie. Stuttgart 1979

Bourdieu, Pierre / Passeron, Jean-Claude: Die Illusion der Chancengleichheit. Untersuchungen zur Soziologie des Bildungswesens am Beispiel Frankreichs. Stuttgart 1971

---

[44] Enzensberger 1988, S. 72.

Bourdieu, Pierre: Die feinen Unterschiede [La distinction, deutsch]. Kritik der gesellschaftlichen Urteilskraft. Frankfurt a. M. 1982

Conrady, Peter (Hg.): Zum Lesen verlocken. Jugendbücher im Unterricht für die Klassen 1–6. 7., überarb. Aufl. Würzburg 1995

Conrady, Peter (Hg.): Zum Lesen verlocken. Jugendbücher im Unterricht für die Klassen 6–10. 6., überarb. Aufl. Würzburg 1995

Eagleton, Terry: Einführung in die Literaturtheorie. Übers. von Elfi Bettinger u. Elke Hentschel. Stuttgart 1988

Eggert, Hartmut / Garbe, Christine: Literarische Sozialisation. Stuttgart / Weimar 1995

Enzensberger, Hans Magnus: Lob des Analphabetentums. In: ders.: Mittelmaß und Wahn. Gesammelte Zerstreuungen. Frankfurt a. M. 1988, S. 61–73

Fiedler, Leslie: Cross the Border – Close the Gap. In: Playboy (Dez. 1969), S. 151, 230, 252–254, 256–258

Fingerhut, Karlheinz: Kanon und kultursoziologisches Orientierungswissen im Literaturunterricht. Mit einem Blick auf Deutungen der „Emilia Galotti". In: Diskussion Deutsch 26 (1995), S. 86–96

Kämper-van den Boogaart, Michael: Schönes, schweres Lesen. Legitimität literarischer Lektüre aus kultursoziologischer Sicht. Wiesbaden 1997

Koch, Hans-Albrecht: Neuere deutsche Literaturwissenschaft: eine praxisorientierte Einführung für Anfänger. Darmstadt 1997

Luhmann, Niklas: Soziologische Aufklärung, Bd. 2. Opladen 1991

Plumpe, Gerhard / Werber, Niels: Literatur ist codierbar. Aspekte einer systemtheoretischen Literaturwissenschaft. In: Literaturwissenschaft und Systemtheorie. Positionen, Kontroversen, Perspektiven. Hrsg. von Siegfried J. Schmidt. Opladen 1993, S. 9–43

Schwanitz, Dietrich: Der Campus. Roman. Frankfurt a. M. 1995

Schwingel, Markus: Bourdieu zur Einführung. Hamburg 1995

Sontag, Susan: Gegen Interpretation. In: dies.: Kunst und Antikunst. 24 literarische Analysen. Übers. von Mark W. Rien. Reinbek bei Hamburg 1968, S. 9–19

Spree, Axel: Kritik der Interpretation. Analytische Untersuchungen zu interpretationskritischen Literaturtheorien. Paderborn 1995

Wellershoff, Dieter: Fiktion und Praxis. In: ders.: Literatur und Veränderung. Versuche zu einer Metakritik der Literatur. Köln / Berlin 1971, S. 9–32

Werber, Niels: Literatur als System. Zur Ausdifferenzierung literarischer Kommunikation. Opladen 1992

Wolgast, Heinrich: Das Elend unserer Jugendliteratur. Ein Beitrag zur künstlerischen Erziehung der Jugend. Hrsg. von Elisabeth Arndt-Wolgast u. Walter Flacke. 7. Aufl. Worms 1950

Sandra Pott

Professionelle Lesekompetenz: Sechs Performanzstadien des Lesens

Wer ernsthaft Literatur studieren will, der übe sich in Askese. Er vergesse seine lebensweltlichen Interessen und Vorlieben, identifiziere sich nicht mit Romanfiguren, geschweige denn mit dem Autor. Spannung, Spaß und Freude sollten ihm Fremdworte werden. Analyse, Analyse und nochmals Analyse, so laute sein diätetisches Programm. Er vertiefe sich in Raum- und Zeitkonstellationen, entdecke seine Leidenschaft für komplexe Strophenformen, zähle Vokale, verfolge Konsonanzen und Assonanzen. – Soweit meine liebevolle Parodie eines ausgesprochen wissenschaftlichen Ideals vom ‚guten Germanisten'. Sie lässt das Schlimmste befürchten: Ich will dieses Ideal zwar sehr weitgehend vertreten, aber auch weiterdenken – zugunsten einer freudigen und humorvollen Professionalität. Sie erborgt vom Literaturliebhaber, was zu dessen besten Eigenschaften gehört: die Begeisterung für bedrucktes Papier zwischen zwei Buchdeckeln, für Bücher, besonders für literarische. Aber sie überführt diese Begeisterung in eine berufsmäßige Distanz zu ihrem ‚schönen' Gegenstand.

Um Verständnis für den freudvollen Asketen zu wecken, will ich in einem ersten Abschnitt erörtern, warum es lohnt, professionelle Lesekompetenz zu erlernen respektive auszubilden. Eine Explikation des Konzeptes professionelle Lesekompetenz schließt in einem zweiten Abschnitt an. In einem dritten Abschnitt erläutere ich das Konzept ‚professionelle Lesekompetenz' im Blick auf sechs Performanzstadien des Lesens.

I. Warum und wozu professionelles Lesen?

Beginnen wir mit der Frage, *warum* sich der Germanist im oben geschilderten Sinne selbstkasteien soll. Sie lässt sich leicht beantworten. Derjenige, der dem Germanisten die außertextliche Askese auferlegt, will Grundlagen für Verständigung schaffen, und zwar für intersubjektive Verständigung über seinen Gegenstand. Für ihn stiftet und klärt Literaturwissenschaft Kommunikationen über Literatur. Der Vertreter literaturwissenschaftlicher Askese kann gute Argumente für seine Auffassung gewinnen. Ich greife nur zwei heraus.

1. Mein erstes Argument bezieht sich auf das Fach germanistische Literaturwissenschaft. Seit geraumer Weile ist es üblich geworden, eine Krise desselben festzustellen. Die Krisenrede gründet sich entweder auf ein hartes Werturteil über die ‚Literatur unseres Zeitalters', die ‚höchsten Ansprüchen nicht mehr genüge' und ein Fach, das sich vor allem mit diesem Gegenstand beschäftige, überflüssig mache. Oder – und das ist der häufigere Fall – die Krisenrede bezieht ihre Geltungskraft aus dem Fach selbst, aus seiner inneren Dynamik, vor allem aus dem kritischen Blick auf seine Verfahren, auf die Methoden, mit denen Literaturwissenschaftler Texte traktieren. In den 60er / 70er Jahren lag die Lösung solcher Krisen zumeist in der Sozialgeschichte; die 80er Jahre kannten eine Vielzahl von Lösungsangeboten – vom Feminismus bis zur Dekonstruktion, die noch die 90er Jahre prägten. Der germanistische Literaturwissenschaftler hat es immer wieder mit selbst- und fremdauferlegtem Reformierungsdruck zu tun, wenn die Interpretation und das Verstehen literarischer Texte auch nach wie vor zu seinem Hauptgeschäft gehören. Wenn gegenwärtig Ruhe in die polemisch geführte ‚Methodendebatte' eingekehrt ist, dann sollte dies deshalb nicht über einige Differenzen hinwegtäuschen, die fortbestehen. Gleichwohl: Nach einer langen Phase des Streits präsentiert sich die Literaturwissenschaft im Rahmen der Diskussionen über kultur- wie medienwissenschaftliche Theorien und Konzepte als erfreulich offen und eklektizistisch.[1]

Möglicherweise erntet sie damit auch die Früchte eines Experiments aus dem Genre der Einführungsliteratur: Bereits David E. Wellberys Sammelband *Positionen der Literaturwissenschaft* (1993) stellt nämlich ein Glanzstück literaturwissenschaftlichen Verstehens jenseits der Rede von einer Krise der Literaturwissenschaft und jenseits der Methodenkämpfe dar. Acht Modellanalysen von Kleists *Das Erdbeben in Chili* legt Wellbery vor; sie sollen den Studierenden in die sogenannten Methoden, oder besser: Programmatiken der Diskursanalyse, der Hermeneutik, der Kommunikationstheorie und Pragmatik, der Literatursemiotik, der Institutionssoziologie, der sozialgeschichtlichen Werkinterpretation, der Theorie der Mythologie und Anthropologie sowie der Dekonstruktion einführen. Erstaunlicherweise kommen die meisten Analysen zu ganz ähnlichen Ergebnissen, was den Text selbst betrifft. Sie weichen insofern voneinander ab, als sie sich die Aufgabe gestellt haben, eine bestimmte Methode und ihre grundlegenden Theorien vorzuführen; sie setzen auf bestimmte Kontexte, die sie mit dem Text verbinden und interpretieren ihn vor

---

[1] Vgl. Benthien / Velten 2002.

diesem Hintergrund. Die Abweichungen umfassen die Kür, das programmatische Turnen ohne textuelles Gerüst – das, was nur einen Teil literaturwissenschaftlicher Tätigkeit ausmacht.

Professionelles literaturwissenschaftliches Lesen tut gut daran, solche Programmatiken kritisch zu prüfen, in ihnen vor allem Anregungen für die Textbeschreibung zu erblicken. Theorien, Methoden und Programme können und sollen helfen zu entdecken, was unerkannt blieb; sie können verborgene Beziehungen ‚entbergen'. Gewinnen Theorien, Methoden und Programme aber eine zu große Eigendynamik, dann tut dies der Textinterpretation in aller Regel nicht gut, sondern verfremdet das ‚Interpretandum' im Extremfall zugunsten eines ‚Interpretans', das einer programmatisch gelenkten textdeuterischen Willkür anheim gegeben ist. Deshalb lautet mein erstes Argument: Weniger Programm ist mehr – für die Texte selbst und für die Profession, die sich über Texte zu verständigen sucht.

Was nach Wellberys Band kam, führt mich zu meinem zweiten Argument für ein kontrolliertes und in einem gewissen Sinne asketisches literaturwissenschaftliches Lesen.

2. Ich komme auf den Reformierungsdruck zurück, der – so muss man mittlerweile sagen – die germanistische Literaturwissenschaft zeitweilig existentiell bedrohte. Mein zweites Argument ist deshalb wissenschaftspolitischer Natur. Im Jahr 1991 erschien in der Reihe suhrkamp taschenbuch wissenschaft eine sogenannte *Denkschrift*, verfasst auf Anregung des Wissenschaftsrates und der Westdeutschen Rektorenkonferenz, und zwar von einer interdisziplinären Forschergruppe an der Universität Konstanz (unter Mitwirkung u.a. von Wolfgang Frühwald, dem ehemaligen Präsidenten der Deutschen Forschungsgemeinschaft). Sie kündigte öffentlichkeitswirksam an, was die Fächer heute befasst: die Auseinandersetzung mit einer neuen ‚Superdisziplin', mit der Kulturwissenschaft. Sie sollte vereinen, was getrennt war, nämlich die zahlreichen geisteswissenschaftlichen Fächer, die bestimmte Teilkompetenzen ausbildeten. Zugleich wollte sie die Naturwissenschaften einbeziehen – und das mit Hilfe eines „leistungsfähige[n] Zentralbegriff[s]", mit Hilfe des Begriffs der Kultur.[2] Wenn ich der *Denkschrift* auch nicht die Alleinzuständigkeit für das zuschreiben will, was in der Folge in den Amtsstuben des Bundesministeriums für Bildung und Forschung begann, so lieferte sie doch gewichtige Argumente dafür. Heute winkt ‚Kulturwissenschaft' in der Tat mit einer Generalkompetenz, die so generell ist, daß ihre Kompetenz-Bildung in Zweifel steht.[3] Beispielsweise

---

[2] Frühwald u.a. 1991, S. 40 u. 138f.
[3] Siehe dazu auch die kritische Rezension kulturwissenschaftlicher Einführungen: Heinz 2002.

forscht man über Körperlichkeit, über Taktilität und Visualität – in Text und Bild, Ton und Farbe, von Aristoteles bis hin zu Judith Butler. In der Konsequenz dieser ‚Superzuständigkeit' der Kulturwissenschaft verlieren die traditionellen geisteswissenschaftlichen Teilkompetenzen ihre Bedeutung. Darunter fällt auch die Lesekompetenz. Möglicherweise sind die negativen Ergebnisse der PISA-Studie bereits eine Folge dieser Entwicklung. Wenn das Fach, das Lesen lehren soll, dieser Aufgabe nicht mehr genügt oder genügen kann, dann leiden diejenigen darunter, die unmittelbar oder mittelbar davon profitieren sollen: zuerst die Lehrer bzw. die Studierenden im Lehramt, dann die Schüler.

II. Was ist Lesekompetenz?

Aber *was* ist Lesekompetenz? Beginnen wir mit dem Begriff der Kompetenz. Kompetenz meint – in der Definition der empirischen Lese- bzw. Leserforschung – „ein individuelles Potential dessen, was eine Person unter idealen Umständen zu leisten im Stande ist."[4] ‚Potential' bezieht sich dabei sowohl auf Fertigkeiten, auf bestimmte eingeübte Handlungsweisen (z. B. die Metrik eines Gedichts zu analysieren), als auch auf Fähigkeiten, auf relativ stabile individuelle Talente (z. B. die Aufnahmefähigkeit).[5]

Lesen wiederum bedeutet – in der Definition des *Reallexikons der deutschen Literaturwissenschaft* (2000) – die „Rezeption" und das „Verstehen schriftlicher Äußerungen; Wahrnehmung und Interpretation visueller Elemente als Zeichen."[6] Es handelt sich also um einen ausgesprochen komplexen Akt. Er umfasst erstens die sinnliche Wahrnehmung eines Zeichens: sei es eines visuellen, oder – wie in der Blindenschrift – eines haptischen. Zweitens setzt er Wissen über ein Zeichensystem voraus, dem das wahrgenommene Zeichen zuzuordnen ist; drittens bezieht er sich auf die Fertigkeit und auf die Fähigkeit, das oder die wahrgenommenen Zeichen vor dem Hintergrund des Zeichensystems und seiner Produkte zu interpretieren und zu verstehen. Mit anderen Worten: Lesen umschließt kognitive Vorgänge und all das, was als hermeneutischer Prozess bekannt ist. Den kognitiven Aspekt des Lesens will ich im Folgenden weitgehend ausklammern; dafür ist die empirische Lese- und Leserforschung zuständig. Ich will mich auf den hermeneutischen Aspekt konzentrieren, auf das, was der Leser unternimmt, um einen Text nicht nur wahrzunehmen, sondern auch zu interpretieren. Dabei geht es mir nicht um einen

---

[4] Groeben 2002, S. 13.
[5] Ebda. – Das „Handbuch Lesen" bemisst in diesem Zusammenhang vor allem die Lesefertigkeit; Bonfadelli 1999.
[6] Aust 2000, S. 406.

beliebigen Leser, sondern um den freudvollen Asketen, den ich eingangs beschrieb: um den professionellen literaturwissenschaftlichen Leser bzw. um den Leser, der die Fertigkeiten professionellen Umgangs mit Literatur erwerben will.

In der Lese- und Leserforschung kommt er in aller Regel zu kurz: Das *Handbuch Lesen* (1999, hrsg. im Auftrag der Stiftung Lesen und der Deutschen Literaturkonferenz) beispielsweise enthält keinen Beitrag über den professionellen Leser. Erst Hartmut Eggert und Alwin Binder bemühten sich, den Begriff der Lesekompetenz für den professionellen Umgang mit Literatur zu gewinnen.[7] Dieser vergleichsweise negative Befund über die Behandlung professionellen Lesens verwundert nicht: Zu komplex erscheint, was die Literaturwissenschaft selbst über das Lesen vorgab. Sie widmet sich seit jeher den Fragen der Textinterpretation und des Textverstehens, den Verfahren für die literaturwissenschaftliche Textbetrachtung, dem Bezug von Texten auf ihre Kontexte, der literarischen und literaturwissenschaftlichen Wertung, dem Lesen als einer Kulturtechnik schlechthin – mit kritischem Blick auf die Praktiken auch des wissenschaftlichen Lesens und seiner Theoretisierung.[8] Die letzten Jahre kennen – im Ausgang aus der Kanonkritik der Dekonstruktion – darüber hinaus eine weitläufige Debatte über die Frage, *was* der Germanist lesen soll.

Im Folgenden soll es demgegenüber darum gehen, das *Wie* neu zu entdecken. Ich will die vielschichtigen Diskussionen über die einzelnen Phänomene, die mit dem Lesen zusammenhängen, im Blick auf sechs Performanzstadien des Lesens beschreiben.[9] Sie sollten vom Richtungsstreit unter Germanisten unabhängig sein. Die Devise lautet deshalb: so voraussetzungsfrei wie möglich, so konkret wie nötig – programmatisch anti-programmatisch. ‚Ars interpretandi' als ‚arte povera', als Rückbesinnung auf die Grundlagen dessen, was im Gang durch die Programmierungen von Literaturwissenschaft als ‚Sozialwissenschaft', als ‚Kultur- und Medienwissenschaft' usf. verloren ging.

---

[7] Eggert 2002; Binder 2003.

[8] The Poetics of Reading 1993; Manguel 1999; siehe auch Stocker 2002; mit Blick auf die Theorien Pierre Bourdieus und Roger Chartiers: Reeser / Spalding 2002; mit Blick auf die Theorien des Lesens, wie sie Wirkungsästhetik und kognitive Rezeptionsforschung entfalteten: Hamilton / Schneider 2002.

[9] Der Begriff ‚Performanzstadien' ist der Rhetorik entnommen. Dort bezeichnet er die Performanzstadien der Rede (‚memorio', ‚actio'), die der Textproduktion nachgehen. Im Falle des Lesens sollen sie die Tätigkeiten des professionellen Lesers auszeichnen.

III. WIE SOLLEN LITERATURWISSENSCHAFTLER LESEN?

Wie also sollen Literaturwissenschaftler lesen? Es liegt am Begriff professionelle Lesekompetenz, an der Konzentration auf den Aspekt des Verstehens, dass Lesen im Gang durch die nachstehenden sechs Performanzstadien nahezu mit Interpretieren identisch wird.[10]

Kognitive Voraussetzungen: Bemühen um ‚tabula rasa'

Hier kommt zum Tragen, was ich eingangs als Askése formuliert habe. Der professionelle Leser stelle die eigenen lebensweltlichen Erfahrungen, Wahrnehmungen und Fragen zugunsten möglichst neutraler Textbetrachtung zurück.[11] Er übe sich in Unparteilichkeit und Unvoreingenommenheit. Der Begriff der ‚tabula rasa', den ich der Anthropologie Descartes' entnehme, verweist aber schon auf die strukturelle Überforderung des Lesers durch dieses Unternehmen. Descartes meinte damit nämlich, dass der Mensch von Geburt an ganz leer sei, ohne Ideen vor sich hin vegetiere. Er wurde vielfach widerlegt. Ich will den Begriff der ‚tabula rasa' deshalb ironisch einsetzen: Es geht um das Bemühen, unparteilich und unvoreingenommen zu lesen, nicht darum, beides vollkommen umzusetzen.

Text auswählen

Die Auswahl des Textes, den der professionelle Leser liest, sollte sich deshalb auch von einem legitimen wissenschaftlichen Interesse leiten lassen. Nicht jeder Text lohnt die Lektüre unter einem bestimmten Aspekt. Will man Literatur etwa im Blick auf ihre Darstellung des historischen Orpheus befragen, dann sollte man sich davor hüten, ausgerechnet Rainer Maria Rilkes *Sonette an Orpheus* (1922) zu konsultieren. Sie schildern nämlich einen ‚eigenen' und poetischen Orpheus und weniger die antike Figur. Der professionelle Leser frage sich deshalb gleich am Beginn des Lese-Prozesses, ob die Lektüre seines Textes unter einer bestimmten Fragestellung sinnvoll ist; er rechtfertige das eigene Vorhaben – zunächst vor sich.

Wohlwollen üben / Principle of Charity

Zugleich nehme er den Text ernst, dem er sich interpretativ zu nähern wünscht. Jeder Text muss so vollständig und gründlich erfasst werden wie

---

[10] Die folgenden Schritte nehmen deshalb wesentlich Bezug auf Spree 2000, der Schritte der Interpretation vorbildhaft und ausführlicher darstellt, als es hier geleistet werden kann und soll.

[11] Dass vollständige Neutralität nicht möglich ist, dass Menschen notwendigerweise mit bestimmten Absichten und geleitet von bestimmten mentalen Voraussetzungen lesen, zeigt die kognitive Rezeptionsforschung; zusammenfassend Hamilton / Schneider 2002.

irgend möglich. Beispielsweise ist es nicht zulässig, aus der Szene in „Auerbachs Keller" zu schließen, dass Goethes *Faust* eine Komödie über Trinkgelage an ominösen Orten sei. Um an Friedrich Schleiermachers Diktum zu erinnern, das als hermeneutischer Zirkel bekannt wurde: ‚Jedes Verstehen des Einzelnen ist bedingt durch ein Verstehen des Ganzen'. Querlesen gilt nicht; vielmehr geht es um das Mitlesen aller noch so nebensächlichen Textteile und -signale. Paratexte und Subtexte darf der professionelle Leser ebensowenig ausblenden wie ausdrückliche Textkennzeichnungen, wie die Gattungszugehörigkeit eines Textes oder wie die Zweifel, die ein Text im Blick auf seine eigene ‚Zeichenhaftigkeit' äußert.[12] Die Textanalyse umschließe deshalb Erzählerrollen, Handlungsstränge, Motive, Motivketten, den Umgang mit Argumenten, rhetorischen Figuren usf. Der Leser ziele auf eine wohlwollende Interpretation, die keinem dieser Textsignale zuwiderläuft.

Geht der germanistische Leser mit literarischen Texten um, dann hat er sich außerdem zu fragen, inwiefern seine Texte als literarische ausgezeichnet sind, inwiefern sie auf Wirklichkeit verweisen und inwiefern sie der Fiktion entstammen.[13] Liest er etwa ein Drama, dann muss er darüber hinaus den Zusammenhang der Aufführung bedenken. Doch sind damit schon die Kontexte der Textlektüre angesprochen, die mich zum nächsten Performanzstadium führen.

Kontexte ermitteln

Zum Zweck der Interpretation ist es notwendig, die weitläufige Textanalyse – regelgeleitet – auf einzelne Aspekte oder auf einen einzelnen Aspekt zu verengen. Um nicht gänzlich immanent nach der Bedeutung eines Textes zu fragen, ist es deshalb sinnvoll, bestimmte Kontexte zu erproben: mediengeschichtliche, sozial- und wissensgeschichtliche beispielsweise.[14] Jean Pauls *Dr. Katzenbergers Badereise* etwa wird sich dem Leser nicht erschließen, liest er den Text bloß immanent als eine Geschichte über einen merkwürdigen Arzt mit merkwürdigen Vorlieben und Angewohnheiten. Erst der Blick auf die Monsterdebatte der Frühneuzeit, auf Physiologie und Anatomie geben Aufschluss über die Probleme, mit denen sich der eigentümliche Doktor befasst.

---

[12] Zur Inspirationskraft, die von einer Literatur ausgeht, die an der ‚Lesbarkeit der Welt' zweifelt, Scheffer 2002, S. 261.

[13] Hartmut Eggert erläutert, wie brüchig der Literaturbegriff heute ist, dass Literarizität / Poetizität kaum mehr bestimmt werden können, es sei denn im Blick auf Grade der Fiktionalität und auf die Gattung, der sie sich zuordnen; Eggert 2002, S. 187–189.

[14] Einen Einblick in die gegenwärtige Debatte über den Text-Begriff, über die Textualitäts-These und – einige – Probleme der Kontexterschließung geben die Beiträge von Baßler / Stoermer / Spörl / Brecht / Zembylas / Graessner / Werber 2002.

Um die Suche nach Kontexten sinnvoll zu begrenzen, gelten eigene Regeln für die Erschließung derselben:[15] Es ist nicht gestattet, mehr Kontext in einem Text zu entdecken, als ihm entnommen werden kann. Ein Text muss a) bestimmte Textsignale aussenden, um Kontexte an diese zu knüpfen, oder zumindest muss ein Paratext dies tun. Briefe, Selbsterklärungen anderer Art – all das kann wertvolle Hinweise auf bestimmte Kontexte geben. b) Dennoch bleibt aber nach dem Stellenwert des Kontextes für einen Text zu fragen – danach, ob er besonders wichtig oder bloß nebensächlich ist. Erst dann lässt sich entscheiden, ob sich mit Gewinn ausschweifende Interpretationen an ihn knüpfen lassen.

Auf den Performanzstadien eins bis vier beruht die professionelle Textinterpretation, sofern sie ‚den Quellentext' betrifft. Aber sie beweist sich nicht nur in Auseinandersetzung mit dieser Quelle, sondern erst in Auseinandersetzung mit dem Handlungsbereich, dem die Interpretation selbst entstammt: in Auseinandersetzung mit Wissenschaft – mit dem, was die Forschung bis zu einem jeweiligen Zeitpunkt über den fraglichen Text zu Tage förderte. Professionelles Lesen muss das Nadelöhr der Forschung passieren, ehe es als abgeschlossen gelten kann.

Forschung berücksichtigen

Doch drängen sich sogleich mehrere Probleme auf. Wie vollständig muss der professionelle Leser die szientifischen Erträge zur Kenntnis nehmen? Wie kann er die Unmenge wissenschaftlichen Mitteilungsbedürfnisses für sich ordnen? Kurzum: Es fällt schwer, dem Gebot der Vollständigkeit für das Lesen von Forschungsliteratur noch gerecht zu werden – zumal es an Forschungsüberblicken fehlt. Wer wüsste heute noch, wie viele Texte über Thomas Manns *Zauberberg* geschrieben wurden und was sie behaupteten? Wer könnte gar für Epochen wie die Romantik einen vollständigen Überblick über die weitverzweigten Debatten im Geäst von Philosophie, Wissenschaftsgeschichte, Literatur- und Kulturwissenschaft geben? Trotzdem bleibt dem professionellen Leser nichts anderes übrig, als zu bibliographieren, unparteilich, unvoreingenommen und wohlwollend zu lesen, was ihm über ‚seinen' Quellentext in die Hände fällt. Idealiter wiederholt er die Leseschritte eins bis vier, um seine eigene Lektüre in den Kontext des Handlungssystems Wissenschaft einzubetten. In der Regel wird sich das Ergebnis beider Lektüreprozesse, die Lektüre literarischer und wissenschaftlicher Texte, in einem simplen Modell der Mengenlehre veranschaulichen lassen: Während die eine Menge die eigene Lektüre umfasst, versammelt die andere die vorliegenden wissenschaftlichen Interpretationen; in einer Schnittmenge lagern die Beobachtungen, die der eige-

---

[15] Dazu Danneberg 1990; 1996.

nen Interpretation und den vorliegenden Forschungsbeiträgen gemeinsam sind. Jetzt erst kann das sechste Performanzstadium berücksichtigt werden.

Formulieren / Kontrollieren

Der professionelle Leser schreibt eine eigene Interpretation seines Textes nieder – methodisch nachvollziehbar, klar argumentiert und durch Forschungsergebnisse kontrolliert. Er schreibt fort oder widerspricht dem, was bereits über seinen Quellentext ermittelt ist. Dabei legt er einen Schwerpunkt auf das, was ihm als innovativ erscheint, pflegt aber das kontinuierliche Gespräch mit den Vorgängern im Interpretenamt. Seinen Geltungsanspruch begründet er im Blick auf das, was diese übersehen bzw. nur unzureichend dargestellt haben. Doch fülle er nicht bloß Forschungslücken; er traue sich auch eine größere Synthese zu: stelle eigene Textlektüren mit anderen zusammen, widme sich nicht nur der besonderen neuen Texterkenntnis, sondern auch dem Überblick. Er verliere das Ganze nicht aus den Augen, wenn er sich für das Detail entscheidet. Doch bleibe seine Interpretation notwendig; er begründe seine Textwahl, seine Interpretation und seinen besonderen Blick auf eine bestimmte Problemstellung oder auf ein bestimmtes textuelles Feld aus der allgemeinen oder besonderen Forschungslage. Wer beispielsweise über das häufige Vorkommen des Umlauts ‚ä' in Schillers *Ästhetischen Briefen* arbeiten möchte, der sollte sich fragen, ob sein Spezialinteresse nicht der Quelle und den Forschungsinteressen des Faches zuwiderläuft.

Diese sechs Performanzstadien bieten nur ein holzschnittartiges Modell für das, was unter professioneller Lesekompetenz verstanden werden kann. Sie blenden aus, welches Wissen ihnen im einzelnen zu Grunde liegt, indem sie sich auf bestimmte Verfahrensregeln beschränken, die – wissenschaftsethisch – beschreiben, wie der professionelle Leser mit seinem Text umgehen soll. Doch sollten sie nicht als zu hierarchisch verstanden werden; unter Umständen geht beispielsweise die Lektüre wissenschaftlicher Texte derjenigen des Primärtextes voraus – ein wenig produktives Verfahren, weil man sich zuerst mit dem auseinandersetzt, was professionelle Leser nicht sehen oder wissentlich übersehen und nicht mit der reichen Quelle selbst.

Dabei liegt der wesentliche Vorzug wissenschaftlichen Lesens darin, dass es die Vielschichtigkeit der Quelle zu entdecken erlaubt. Erst der wissenschaftliche Leser darf sich, unbelastet durch Idiosynkrasien oder durch einen unmittelbaren Verwendungszusammenhang, die Muße nehmen, Texte im Blick auf ihre Vielschichtigkeit zu untersuchen. Er ist zahlreicher Techniken im Umgang mit Texten mächtig – um intersubjektive Interpretationen zu erzeugen. Intersubjektivität aber – und das will ich im Blick auf mein eigenes Schema kritisch anmerken – setzt Subjektivität voraus.

Am Ende der Darstellung gelangen wir – ganz hermeneutisch – wieder zum Anfang zurück: zu den ‚blinden Flecken', die nicht selten auch die wissenschaftliche Auswahl der Lektüre steuern und wissenschaftliche Interpretation motivieren. Mehr sollten sie allerdings nicht tun, befolgt der professionelle Leser die sechs Performanzstadien des Lesens. Ihnen geht es nicht darum, Subjektivität auszumerzen, sondern einzubinden: in einen methodisch kontrollierten und kontrollierbaren Rahmen der Praktiken für eine professionelle Lesekompetenz. Dass es der germanistischen Literaturwissenschaft nicht immer gelingt, diese Kompetenz auch abzurufen, versteht sich von selbst. Immer wieder äußern sich – ganz unprofessionell – Vorlieben und Abneigungen; gelegentlich ermangelt es der Gründlichkeit der Lektüre. Man denke an die Literaturgeschichten, die qua Gattung einen ‚großen Überblick' erfordern.[16] Mancher Literaturhistoriker schrieb – sei es aus Zeitgründen oder aus Kenntnislosigkeit – lieber ab und mied das mühsame Geschäft des Lesens. Aber erst am Lesen (bzw. im niedergeschriebenen Lesebericht) beweist sich gute Literaturwissenschaft. Das Fach steht und fällt mit gründlicher und innovativer Lektüre.

Um mit meinem wissenschafts- und kulturpolitischen Argument zu schließen: Lesen zu lehren, Lesekompetenz auszubilden – das sind zwei wesentliche Berechtigungen für die germanistische Literaturwissenschaft. Wer ihre Existenz gefährdet, der entzieht der Ausbildung einer kulturellen Kernkompetenz die Grundlage.

LITERATUR

Aust, Hugo: Lesen. In: Reallexikon der deutschen Literaturwissenschaft. Neubearbeitung des Reallexikons der deutschen Literaturgeschichte. Hrsg. von Harald Fricke u.a. Bd. 2: H-O. Berlin / New York 2000, S. 406–410

Baßler, Moritz u.a.: Kultur als Text? In: KulturPoetik 2 (2002), H. 1, S. 102–113

Benthien, Claudia / Velten, Hans Rudolf (Hgg.): Germanistik als Kulturwissenschaft. Eine Einführung in neue Theoriekonzepte. Reinbek bei Hamburg 2002 (re 55643)

Binder, Alwin: LiteraturLesen. Was lässt sich beim Lesen denken? Bielefeld 2003

Bonfadelli, Heinz: Leser und Leseverhalten heute – Sozialwissenschaftliche Buchlese(r)forschung. In: Handbuch Lesen, im Auftrag der Stiftung Lesen und der Deutschen Literaturkonferenz. Hrsg. von Bodo Franzmann u.a. München 1999, S. 133–135

---

[16] Am Beispiel der Literaturgeschichten Schönert 1998.

Danneberg, Lutz: Interpretation: Kontextbildung und Kontextverwendung. Demonstriert an Brechts Keuner-Geschichte „Die Frage, ob es einen Gott gibt". In: SPIEL. Siegener Periodicum zur Internationalen Empirischen Literaturwissenschaft: Literatursysteme – Literatur als System (1990), H. 9, S. 89–130

Danneberg, Lutz: Wie kommt die Philosophie in die Literatur? In: Philosophie in Literatur. Hrsg. von Christiane Schildknecht u. Dieter Teichert. Frankfurt a. M. 1996, S. 19–54

Eggert, Hartmut: Literarische Texte und ihre Anforderungen an die Lesekompetenz. In: Lesekompetenz. Bedingungen, Dimensionen, Funktionen. Hrsg. von dems. u. Bettina Hurrelmann. Weinheim / München 2002, S. 186–194

Frühwald, Wolfgang u.a.: Geisteswissenschaften heute. Eine Denkschrift. Frankfurt a. M. 1991

Groeben, Norbert: Zur konzeptuellen Struktur des Konstrukts ‚Lesekompetenz'. In: Lesekompetenz. Bedingungen, Dimensionen, Funktionen. Hrsg. von dems. u. Bettina Hurrelmann. Weinheim / München 2002, S. 11–21

Hamilton, Craig A. / Schneider, Ralf: From Iser to Turner and Beyond: Reception Theory Meets Cognitive Criticism. In: Style 36 (2002), H. 4, S. 640–658

Heinz, Jutta: Vom Generalisten, Kanonkundigen und Universaldilettanten. Kulturwissenschaftliche Einführungen im Vergleich. In: KulturPoetik 2 (2002), H. 1, S. 114–120

Manguel, Alberto: Eine Geschichte des Lesens [A History of Reading, deutsch]. Reinbek bei Hamburg 1999

Reeser, Todd W. / Spalding, Steven D.: Reading Literature / Culture: A Translation of „Reading as a Cultural Practice". In: Style 36 (2002), H. 4, S. 659–676

Scheffer, Bernd: Kultur als Text? Am Rande der buchstäblichen Zeichen. Zur Lesbarkeit / Unlesbarkeit der (Medien-)Welt. In: KulturPoetik 2 (2002), H. 2, S. 260–271

Schönert, Jörg: Darstellungsformen in der Literaturgeschichtsschreibung. In: Darstellungsformen der Wissenschaften im Kontrast. Aspekte der Methodik, Theorie und Empirie. Hrsg. von Lutz Danneberg u. Jürg Niederhauser. Tübingen 1998 (Forum für Fachsprachen-Forschung 39), S. 509–526

Spree, Axel: Interpretation. In: Reallexikon der deutschen Literaturwissenschaft. Neubearbeitung des Reallexikons der deutschen Literaturgeschichte. Hrsg. von Harald Fricke u.a. Bd. 2: H-O. Berlin / New York 2000, S. 168–172

Stocker, Günther: ‚Lesen' als Thema der deutschsprachigen Literatur des 20. Jahrhunderts. Ein Forschungsbericht. In: Internationales Archiv für Sozialgeschichte der Literatur 27 (2002), H. 2, S. 208–241

Timm, Eitel / Mendoza, Kenneth (Hgg.): The Poetics of Reading. Columbia 1993 (Studies in German Literature, Linguistics, and Culture)

Anja Hill-Zenk

LESEVORSCHRIFTEN? DIE KANONDEBATTE IM DEUTSCHEN FEUILLETON UM DIE JAHRTAUSENDWENDE

Was ist ein literarischer Kanon und warum hat er Bedeutung? Wie hat sich die Debatte um den Kanon in der Bundesrepublik nach dem Zweiten Weltkrieg gestaltet und wo stehen wir heute? In diesem Beitrag möchte ich einen kurzen Überblick über den Gebrauch des Begriffs Kanon in der Wissenschaft geben und die Entwicklung des Kanons in der BRD skizzieren. Vor dem Hintergrund dieser wissenschaftlichen Auseinandersetzung soll der Umgang des Feuilletons mit dem Kanon-Begriff analysiert werden. Der Schwerpunkt liegt dabei auf den Debatten der letzten Jahre im Feuilleton, insbesondere auf den erhitzten Diskussionen in der Wochenzeitung *Die Zeit* in den neunziger Jahren des letzten und den ersten Jahren dieses Jahrhunderts. Die feuilletonistische Verwendung des Kanon-Begriffs, ihre Grundannahmen und Schlussfolgerungen unterscheiden sich deutlich von denen der Wissenschaft. Eine Rückbindung der Feuilletondebatte an die wissenschaftlichen Grundlagen soll hier unternommen werden.

Die Bedeutung des griechischen Wortes Kanon bezeichnet sowohl den Messstab, den der Bildhauer Polyklet in der 2. Hälfte des 5. Jahrhunderts v. Chr. verwendete, um die idealen Proportionen des menschlichen Körpers zu bestimmen, als auch die Regel, Norm, Richtschnur im übertragenen Sinne. In der heutigen Verwendung wird ‚kanonisch‘ oft gleichgesetzt mit erstrangig, zeitüberdauernd, vorbildlich und tradierenswert.[1] Was allerdings in der Literatur kanonisch ist, darüber hat sich im deutschen Feuilleton eine Debatte entzündet, die inzwischen zum Dauerstreit geworden ist. Ihre Auslöser und ihr Verlauf sollen hier analysiert werden.

---

[1] Vgl. Anz 1998, S. 3.

I. DIE KANONFORSCHUNG: EIN ÜBERBLICK

Als Grundlage der Kanonforschung heute kann das Gegenüber und Wechselspiel zwischen einem Textkanon und einem Regelkanon gelten. Der Textkanon als materialer Kanon gestaltet sich durch Einschluss bestimmter Werke
und Ausschluss anderer und dient z. B. mit Editionen der ‚Textpflege‘. Der
Regel- oder Deutungskanon andererseits kommentiert und interpretiert diesen Textkanon.[2] Die Frage, ob der Textkanon relativ stabil ist, der Deutungskanon dagegen flexibel, wird von Kanonforscherinnen und -forschern unterschiedlich bewertet.

Ich möchte dem Ansatz von Walter Erhart folgen, der anhand der Kanon-
gestaltung in der deutschen Germanistik seit 1945 die wechselseitige Bedingt-
heit von Stabilität des Textkanons und Flexibilität des Regelkanons (und umgekehrt) demonstriert:

> Während zwischen 1950 und 1965 der bestehende Kanon mit Hilfe der
> Formanalyse ‚neu gelesen‘ und gleichzeitig um neue ‚Klassiker‘ [d. h. die
> klassische Moderne, A.H.-Z.] erweitert wurde, konnte das sozialgeschicht-
> lich orientierte Verfahren nach 1968 die Gefahren der Kanon- und Fach-
> Auflösung bannen und die Identität der Disziplin auf ein (erprobtes)
> Gleichgewicht von kanonisierten Gegenständen (Autoren, Epochen,
> Werke) und kontrollierter Kanon-Erweiterung gründen.[3]

Nach diesen Entwicklungen fand sich in den 80er Jahren des zwanzigsten
Jahrhunderts der materiale Kanon in den germanistischen Seminaren in unterschiedlichen Stadien der Auflösung, dagegen dominierte aber die sozialge-
schichtliche Methode bezüglich des Deutungskanons. Als in den 80ern die
franko-amerikanischen postmodernen Literaturtheorien Einzug an den deutschen Universitäten hielten, veränderte sich der Trend allerdings. Nun steht
eine Pluralität der Deutungsansätze einer fortschreitenden Konzentration auf
bereits kanonisierte Autoren gegenüber.

Hier muss allerdings die Besonderheit der deutschen Situation hervorgehoben werden. Während in den USA die Welle der dekonstruktivistischen
Theorien in Kombination mit der ‚Kulturrevolution‘ von 1968 und ihren unterschiedlichen sozialen Bewegungen (Studentenbewegung, feministische Bewegung, ökologische Bewegung) zu einer Aufsplitterung in „identity poli-
tics" (Stuart Hall)[4] führte, durch die der literarische Kanon grundsätzlich in
Frage gestellt wird, „bleibt [in Deutschland, A.H.-Z.] die dekonstruktive Pra-

---

[2] Vgl. von Heydebrand / Winko 1994, S. 132.
[3] Vgl. Erhart 1998, S. 111.
[4] Brinker-Gabler 1998, S. 87ff.

xis auf die kanonisierten Werke beschränkt".[5] Diese Feststellung betrifft wiederum die Unterscheidung zwischen dem Text- und dem Deutungskanon: Nach Brinker-Gabler stehen die bereits kanonisierten Autoren in der Entwicklung seit den achtziger Jahren erneut im Vordergrund, es werden nun jedoch neue Ansätze aus dem Deutungskanon an sie herangetragen. Anders als in den USA hat an deutschen Universitäten keine solche starke Entkanonisierung stattgefunden, dass Kanones insgesamt nachhaltig abgelehnt und gesellschaftspolitische Konsequenzen eingefordert würden, sondern nach einer kurzzeitigen Verschiebung der Interessensschwerpunkte hat sich der Textkanon wieder stabilisiert. Stattdessen wurden durch die Unterschiede in den Instrumentarien der Textinterpretation – durch den Deutungskanon – Werke auf neue Weise analysiert. Zukünftig wird die Behandlung der kanonischen Autoren wahrscheinlich in der Lehre einen noch größeren Raum an deutschen Universitäten einnehmen, wenn durch die Einführung von kürzeren Studiengängen im Zuge der Universitätsreformen weniger Zeit für weniger Stoff bleibt. In der Forschung, zumal auf der Ebene der Dissertationen, wird wohl auch weiterhin eine Diversifizierung des Kanons stattfinden.

Ob die deutsche Auseinandersetzung mit Kanones sich in den neunziger Jahren des zwanzigsten Jahrhunderts vornehmlich auf spezifisch deutsche Entwicklungen bezogen hat, wie Brinker-Gabler es vorschlägt, ist allerdings fraglich. Brinker-Gabler verweist auf die in dieser Zeit neu entfachte Debatte nach den Qualitätskriterien für ‚gute' Literatur. Diese führt sie auf den deutsch-deutschen Literaturstreit zurück, der sich an Christa Wolfs 1990 veröffentlichtem Roman *Was bleibt* entzündete. Überzeugend ist aber Brinker-Gablers Argumentation, dass in dieser Zeit ein deutlicher Impuls zum „Abschied von Gesinnungsästhetik" und zur „Rückkehr zu ‚ästhetischen Kriterien', zu transzendenten Werten" festzustellen sei.[6]

Dagegen regte 1994 in den USA – ebenfalls von der Frage ausgehend, was gute Literatur sei – ein Buch die Kanon-Debatte mit ähnlichen Prämissen tatsächlich entscheidend an: Harold Blooms *The Western Canon*. Gegen die sozial engagierten Deutungen und Kanonverschiebungen setzt Bloom die Autonomie des Ästhetischen, das „einsame und abgehobene Ringen der großen Geister um Unsterblichkeit".[7] Ohne selbst einem Genie-Kult das Wort reden zu wollen, kann doch davon ausgegangen werden, dass dieses Buch des US-amerikanischen Literaturdozenten Bloom in der Kanon-Debatte auch in der deutschen wissenschaftlichen Auseinandersetzung eine verstärkte Auseinandersetzung hervorgerufen hat. Dies zeigen beispielsweise die Beiträge des DFG-

---

[5] Erhart 1998, S. 116.
[6] Brinker-Gabler 1998, S. 90.
[7] Assmann 1998, S. 48.

Symposions zum Thema „Kanon Macht Zensur" 1996, in denen immer wieder auf Bloom Bezug genommen wird, wenn auch oft ablehnend.

II. Die Feuilleton-Debatten

Die Zeit 1997

Wie sehr das Thema des Symposions den Nerv der Zeit traf, zeigte sich auch daran, dass die Diskussion um den Kanon bald danach in den deutschen Feuilletons Einzug hielt, allerdings mit einer deutlichen Umgewichtung: Während sich die wissenschaftliche Auseinandersetzung neben den eben genannten Themen mit der Frage des Gegenübers von idealen bzw. postulativen und realen bzw. faktischen Kanones beschäftigt,[8] wendete sich das Feuilleton dem idealen Kanon zu.

Dass man in den Redaktionen einen elementaren Bedarf für diese Debatte sah, zeigt sich an dem Platz, den man der Frage einräumte. In der *Zeit* vom 16. Mai 1997 beispielsweise kamen Ulrich Greiners Überlegungen auf der ersten Seite zu stehen.[9] Nachdem er Literatur als den Ort des Schönen bestimmt hat – allerdings doch als das Erschreckende, also wohl das Sublime? –, den wirtschaftlichen Sinn des Lesens über Allgemeinbildung hinaus hinterfragt hat, dann die Notwendigkeit der Tradierung, kommt er zu dem Schluss: „Wer diese Geschichte nicht kennt, der kennt die Kultur nicht, der er angehört, der kennt sich selber nicht."[10]

Es geht also um Sozialisation durch Lektüre, um Kulturerwerb. Einer solchen Aussage könnte mit Zymners deskriptivem Ansatz erwidert werden:

> Zugespitzt könnte man sagen, daß genuin deutschsprachige Literatur […] für dieses Wissensmilieu nur noch eine Sache für Experten und daß der aktive Kanon innerhalb dieser Gruppe ein internationaler Kanon der Literatur des 20. Jahrhunderts ist. Das bedeutet nicht etwa, daß innerhalb dieses Wissensmilieus Fontane, Goethe, Opitz oder Wickram nicht (mehr) gelesen werden, wohl aber, daß möglicherweise die Kenntnis dieser Autoren für die aktive Teilhabe an unserer aktuellen Kultur entbehrlich scheint.[11]

Die Frage, ob es denn überhaupt eine einheitliche deutsche Kultur gebe, in der man auf diese Weise aufgehen könne, ob man sich nicht eventuell sozialen

---

8 Für letztere sind beispielsweise Fragestellungen wie diejenige nach den Zugangsmöglichkeiten verschiedener Gruppen in verschiedenen Epochen zum Kanon, sowohl aktiv als auch passiv, relevant.

9 Greiner 1997a, S. 1.

10 Ebda.

11 Zymner 1996, S. 11.

Gruppen eher zugehörig fühle als einer Gesamtkultur, in welcher Weise Ausgrenzungsmechanismen durch literarische Kanones sichtbar werden können[12] – diese Fragen stellt Greiner nicht. Ebenso wenig fragt er, wofür die Literatur qualifizieren solle, wenn sie nicht nur als Selbstzweck diene und wenn die Teilhabe an der Gegenwartskultur auch nicht von diesen Autoren abhänge. Stattdessen polemisiert er gegen die Curricula der SPD-regierten Länder und die Behandlung von ‚Texten', noch dazu nicht-fiktionalen, statt ‚Werken' („In CDU-Ländern wird auf literarische Kenntnis eher Wert gelegt"[13]).

Seine Behauptung, dass „literarische Maßstäbe auch dann [gelten], wenn sie nicht mehr gewußt werden"[14] ist die Basis seiner Forderung nach einem neuen verbindlichen Kanon. Es ist nicht deutlich, ob Greiner damit darauf anspielt, dass die Kenntnis der kanonischen Literatur als Herrschaftswissen anzusehen sei, weshalb es nötig sei, dieses Wissen parat zu haben, auch wenn die Mehrheit der Gesellschaft dieses nicht mehr teile. Es erscheint jedoch eher als ein Beharren Greiners auf der überzeitlichen Dimension eines Kanons, die allerdings, wie es die wissenschaftliche Kanonforschung zeigt, nicht zu den Eigenschaften des Kanons gehört. Von Jan und Aleida Assmann wird dies in ihrem Buch über *Kanon und Zensur* deutlich herausgestellt: Kanones sind eben nicht überzeitlich, bestehen nicht aus sich selbst heraus. Sie werden durch Selektion, Machtausübung und Ausschließungsmechanismen ‚gepflegt' und sind ein zeitgebundenes Herrschaftsprodukt. Dies ist deutlich daran zu erkennen, dass Kanones sich wandeln. Joachim Bark fasst dies so zusammen: „[D]er Kanon ist kritisierbar und sogar revidierbar. Denn Beweglichkeit ist paradoxerweise eines seiner hervorstechenden Merkmale."[15] Zwar räumt auch Greiner ein, dass „jeder Kanon [..] seinen Gegenkanon [erzeugt]", gleichzeitig beharrt er aber darauf, dass „[d]er Höhenkamm der großen Werke [...] auch dann [besteht], wenn er zeitweise im Nebel modischer Relativierung unsichtbar geworden ist."[16/17]

In der *Zeit* wurde eine Reihe Personen des öffentlichen Lebens zu ihren Kanon-Vorschlägen befragt, mit der Vorgabe, sich auf fünf Autoren zu begrenzen.[18] Die Kriterien für die Auswahl der Eingeladenen wurden nicht offenge-

---

[12] Diese komplexen Fragen behandelt Gisela Brinker-Gabler in dem DFG-Band detailliert: Brinker-Gabler 1998.
[13] Greiner 1997a, S. 1.
[14] Ebda.
[15] Bark 1996, S. 5.
[16] Greiner 1997a, S. 1.
[17] Dass diese Überzeugung auf dem Dogma der Autonomie von Literatur als Kunst beruht, die bestimmte Gruppen und Texte von vornherein aus dem Kanon ausschließt, beschreiben von Heydebrand / Winko 1994, S. 135 und S. 139ff.
[18] Greiner 1997b, S. 50f. Weitere Ergebnisse der Umfrage, die sich aber wenig von den ersten unterschieden, wurden in der folgenden Woche veröffentlicht, vgl. Greiner 1997c.

legt („namhafte Autoren und Zeitgenossen"[19] wurden gefragt). Da es sich um eine Mischung von Politikern und Kulturschaffenden handelte, ist davon auszugehen, dass der Bekanntheitsgrad das Hauptkriterium darstellte. Wie ein Leserbrief empört feststellte,[20] war den Kanon-Befragten jedoch die fehlende Unterrichtspraxis gemeinsam. Deren Antworten zeichneten sich durch Entsetzen über das mangelnde Wissen der heutigen Abiturienten und durch die Uniformität ihres Kanons aus: Goethe, Kafka, Mann, Büchner, Brecht, diese Autoren soll man lesen; dann noch Schiller und Kleist vor Lessing.

Dass es bei der Redaktion der *Zeit* – ob mit oder gegen Greiner – dennoch ein Unbehagen gegenüber diesen Kanon-Vorschlägen gegeben zu haben scheint, wird auf interessante Weise deutlich: Die Kanones enthalten fast ausschließlich Autoren; nur drei Autorinnen werden genannt: Else Lasker-Schüler, Anette von Droste-Hülshoff und Ingeborg Bachmann. Die Reihe von Autorenportraits, die über Greiners Leitartikel abgebildet ist, zeigt aber neben Brecht, Kafka, Goethe, Th. Mann und Schiller auch Ingeborg Bachmann, die mit nur zwei Nennungen bestimmt nicht in diesen Hitlisten-Kanon fällt. Warum verwendete man aber ihr Bild? Vielleicht drängte sich doch die Frage nach Hegemonien und Subalternität bei einer solchen Reihe zu deutlich auf? Auch Ernst Jandls Portrait fällt aus dem Rahmen, da er punktgleich mit Bachmann (und vielen anderen) am Ende der Liste steht, aber sein Foto doch einen Platz zugesprochen bekommt. Wird hier der Versuch deutlich, die zeitgenössische Literatur mit ins Boot zu bringen, da sonst keine lebenden Autorinnen oder Autoren für würdig befunden wurden?

Die Reaktion auf Greiners Anstoß, die sich in den Briefen an die Redaktion manifestiert, ist überwiegend negativ.[21] Die Gründe für die Ablehnung der vorgeschlagenen Kanones durch die *Zeit*-LeserInnenschaft reichen von Hinweisen auf den Unterschied zwischen realem und idealem Kanon, über Fragen nach der Bedeutung des Erweckens von Leselust eher als der Auflistung von abprüfbaren Textinhalten aus den Klassiker bis hin zum Vorwurf, die Inhalte seien auf eine gymnasiale Elite beschränkt.

Der Spiegel 2001

In den folgenden Jahren fand die Kanondebatte zwar beispielsweise durch die und in der Fernsehsendung *Das literarische Quartett* unter der Führung des Literaturkritikers Marcel Reich-Ranickis auch weiter öffentlich statt, schien

---

[19] Ebda, S. 50.
[20] Erdmann 1997.
[21] Auch in anderen Feuilletons wurden die Bemühungen der *Zeit* problematisiert und zum Teil verspottet. Vgl. beispielsweise Zielkes Darstellung im Feuilleton der *Süddeutschen Zeitung*: Zielke 1997. Aber auch die *Zeit* selbst druckt kritische Kommentare ab: Schneider 1997.

aber an Dringlichkeit verloren zu haben. Pünktlich zur PISA-Studie und zum Beweinen der deutschen Bildungsmisere meldete sich aber Reich-Ranicki am 18. Juni 2001 im Spiegel mit ‚seinem' Literaturkanon zu Wort.[22] Überraschungen gibt es dabei keine: Die Ausweitungen in der Literatur vor dem 19. Jahrhundert sind durchweg kanonisch, nach 1945 sind nur noch drei lebende Autoren hinzugekommen, nämlich Grass, Biermann und Gernhardt.

Im Gegensatz zu anderen (feuilletonistischen) Kritikern ist Reich-Ranicki sich sehr wohl der Tatsache bewusst, dass ein Kanon immer orts- und zeitgebunden ist. So weist er explizit den Anspruch zurück, seiner solle eine andauernde Gültigkeit haben.[23] Dass jedoch die Vorstellung eines individuellen Kanons („mein Literaturkanon") im Widerspruch zu dem steht, was er gleichzeitig für den Kanon postuliert, nämlich überindividuelle Transzendenz, wird von ihm übersehen.[24] Er begründet seine Auswahl mit der Verunsicherung der Lesenden angesichts der Bücherflut.[25] Nun haben Untersuchungen der *Stiftung Lesen* zwar tatsächlich ergeben, dass sich die LeserInnenschaft durch die hohe Zahl der Neupublikationen verunsichert fühlt[26] – allerdings ist Reich-Ranickis Hilfestellung mit seinem Kanon für diese Lesenden vermutlich wenig ergiebig, da dieser Kanon im Wesentlichen die Klassiker enthält. Es ist wenig plausibel, dass sich die Lesenden im Hinblick auf die Klassiker unsicher sind, die Unsicherheit entsteht durch die stark wachsende Zahl der Neuerscheinungen.

Obwohl Reich-Ranicki sich also gegen die ‚Kanonizität' seines Kanons verwehrt, entkommt er der ‚Kanon-Falle' eben doch nicht. Zudem unterläuft ihm ebenfalls der Fehler, der in der feuilletonistischen Debatte beherrschend zu sein scheint, nämlich die Vermischung von Curriculum und Kanon. Indem Reich-Ranicki wiederholt darauf verweist, dass er ‚seinen' Kanon gekürzt habe, damit er in der beschränkten Zeit für den Deutschunterricht abzuarbeiten sei, wird das eigentliche Ziel seiner Bemühung klar: Nicht Leseorientierung, nicht Darstellung eines orts- und zeitgebundenen Kanons, sondern Lesevorschrift und Norm für den Schulgebrauch. Auf eben diese notwendige Unterscheidung zwischen Kanon und Curriculum bzw. Syllabus weist A. S. Byatt hin. Dabei sieht sie den Kanon eher als intertextuellen Orientierungs-

---

[22] Reich-Ranicki 2001.

[23] Ebda.

[24] Dass alle Autoren und Literaturkritiker sich individuelle Kanones bilden, indem sie eine Kanon-Tradition konstruieren, von der sie sich abgrenzen können, also ein individueller Kanon immer einen Rückbezug zu einem Standard im Gruppenkonsens hat, beschreiben von Heydebrand / Winko 1994, S. 134f.

[25] Reich-Ranicki 2001.

[26] Nach Untersuchungen der Stiftung Lesen von 2000 steht diese Verunsicherung auf der Liste der Lesehindernisse auf dem ersten Platz, während sie 1992 noch den dritten Platz belegt hatte. Franzmann 2001, S. 20.

punkt für Schriftsteller und Schriftstellerinnen (und für StudentInnen?), den Syllabus als „Konstrukt von Lehrern".[27] Danach muss wohl die Frage gestellt werden, welches Publikum denn avisiert ist, wenn eine solche Debatte im Feuilleton geführt wird. Nach Byatt wäre fraglich, ob das Feuilleton der richtige Ort ist, wenn es sich hier um eine Kanondebatte handelt, aber auch, wenn es sich um eine Curriculumsdebatte handelt. Festzuhalten ist dabei, dass Byatt diese Äußerung selbst in einer feuilletonistischen Publikation macht.

Die Zeit 2002

Die Zeit lernte aus der Kritik von 1997 und ging 2002 in ihrem neuen Kanon-Beitrag „Die *Zeit*-Schülerbibliothek. Weshalb wir einen literarischen Kanon brauchen" systematischer vor. Abermals unter der Ägide von Ulrich Greiner arbeitete eine achtköpfige Jury – diesmal neben den *Zeit*-RedakteurInnen und SchriftstellerInnen auch unter dem Einschluss von SchülerInnen und DeutschlehrerInnen – eine Liste mit 50 Titeln aus, deren Aufnahme von Woche zu Woche individuell begründet wurde. Sie ist „für alle Schüler ab zehn"[28] gedacht. Gerechtfertigt wird der neue Vorstoß mit den schlechten PISA-Ergebnissen für Deutschland und dass „es sich [auch gehört], Goethe oder Kafka oder Thomas Mann gelesen zu haben", da wir „[a]ndernfalls unser kulturelles Gedächtnis verlieren".[29] Sicherlich zu Recht verweist Greiner auf die Notwendigkeit, den Menschen Bildung unabhängig vom wirtschaftlichen Nutzen (‚Standort Deutschland') zukommen zu lassen;[30] als Beispiele nennt er emotionale und moralische Entwicklung. Dies sieht er durch Teilhabe an der Historiographie, unter der er die Literatur einordnet, gewährleistet.

Vergleicht man sowohl die Argumentation der Begründung als auch die dann ausgewählten Werke, werden die Ausgrenzungs- und Machtmechanismen, die diesem Kanon inhärent sind, deutlich. Zymner nennt drei Funktionen des Kanons: 1. die Legitimation der gegenwärtig geltenden Werte durch ihre Verankerung in der Vergangenheit, 2. die Identitätsstiftung in Abgrenzung gegen andere Gesellschaften oder gesellschaftliche Gruppierungen in der Gleichzeitigkeit und 3. die Handlungsorientierung im Blick auf die Zukunft.[31] Nicht nur die erste Funktion nach Zymner, die Erhaltung des kulturellen Gedächtnisses, findet sich in Greiners Begründung wieder, sondern auch die zweite: Frauen sind mit fünf Nennungen von 50 wieder einmal unterrepräsentiert. Die Frage, ob nicht auch die Literaturen anderer Nationen bestimmend für die deutsche Kultur war und ist (Hamlet als Deutscher!),

---

[27] Byatt 2002, S. 46.
[28] Greiner 2002, S. 45.
[29] Ebda.
[30] Ebda.
[31] Zymner 1998, S. 36f. Er bezieht sich auf von Heydebrand / Winko 1994, S. 131.

wird von Greiner jedoch nicht gestellt; es werden stattdessen Nationalitätsvorstellungen und Kanon verquickt. Darüber hinaus findet neben dem ausgesprochenen Wunsch der Bewahrung des idealen Kanon eine Zusammenführung mit dem realen Kanon nicht statt. Wie die letzte Studie der Stiftung Lesen zeigt, lesen junge wie alte Menschen heute ganz andere Bücher und ihre Leseneigung wird auch nicht wesentlich durch die Schule verändert, sondern wird durch Lesesozialisation in der Familie geprägt: „[...] [K]ein Faktor [ist] so einflussreich auf das Leseinteresse von Kindern und Jugendlichen [...] wie die Lesesozialisation in der Familie und diese [kann] von Kindergärten und Schulen bislang kaum ersetzt werden [...].[32]

III. FAZIT: DAS VERHÄLTNIS VON WISSENSCHAFTLICHER UND
FEUILLETONISTISCHER KANON-DEBATTE

Ein genauer Blick auf die Feuilleton-Debatte zum Kanon ergibt, dass die Ergebnisse der wissenschaftlichen Bemühungen um eine Klärung des Begriffs immer wieder unbeachtet bleiben. Die Feststellung der wissenschaftlichen Kanon-Forschung, dass Kanones ‚gemacht' sind, dass sie orts-, gruppen- und zeitabhängig sind, wird nicht rezipiert bzw. in der Praxis übergangen. Ihre andauernde Gültigkeit wird im Feuilleton vorausgesetzt. Während in der Wissenschaft im Hinblick auf den Umfang eines materialen Kanon keine Einigkeit besteht, ist die punktuelle Festschreibung eines solchen das Hauptziel der *Zeit*-Artikel.

Die Verwirrung in der Auseinandersetzung im Feuilleton bleibt aber nicht auf die Inhalte der Kanon-Forschung beschränkt, sondern beginnt beim Begriff. In der Diskussion werden Kanon und Curriculum gängigerweise vermischt, wodurch die Situation weiter verzerrt wird. Die Beachtung solcher Konzepte wie dem des realen bzw. idealen Kanons wäre einer inhaltlichen Klärung förderlich. Da jedoch die Kanondebatte auf zu unterschiedlichen Ebenen geführt wird, bleibt das Ergebnis, wie es sich im Feuilleton abzeichnet, fragwürdig. Die vehement geführte öffentliche Diskussion dieser Frage an diesem Ort zeigt jedoch ihre gesellschaftliche Bedeutung und ihre Verankerung in gesellschafts- bzw. der schulpolitischen Ansichten. Sowohl die wissenschaftliche als auch die feuilletonistische Auseinandersetzung mit dem Kanon spiegeln diese gesellschaftliche Bedeutung der Debatte wider.

---

[32] Franzmann 2001, S. 30.

LITERATUR

Anz, Thomas: Einführung. In: von Heydebrand, S. 3–8

Assmann, Aleida: Kanonforschung als Provokation der Literaturwissenschaft. In: von Heydebrand, S.47–59

Bark, Joachim: Kanongerede. In: Mitteilungen des Deutschen Germanistenverbandes 43 (1996), S. 3–8.

Brinker-Gabler, Gisela: Vom nationalen Kanon zur postnationalen Konstellation. In: von Heydebrand, S. 78–96

Byatt, Antonia S.: Der andere Kanon. In: Literaturen Jan. / Feb. 2002, S. 46

Erdmann, Günter: Leserbrief. In: Buridans Esel in der Bibliothek. Ein Literaturkanon für die Schullektüre: Mutige Hilfe oder hochnäsige Anmaßung? In: Die Zeit 24 (6. Juni 1997), S. 62

Erhart, Walter: Kanonisierungsbedarf und Kanonisierung in der deutschen Literaturwissenschaft (1945–1995). In: von Heydebrand, S. 97–121

Franzmann, Bodo: Die Deutschen als Leser und Nichtleser. Ein Überblick. In: Leseverhalten in Deutschland im neuen Jahrtausend. Eine Studie der Stiftung Lesen. Hrsg. von Stiftung Lesen u. Spiegel-Verlag. Hamburg / Mainz 2001, S. 7–31

Greiner, Ulrich (1997a): Bücher für das ganze Leben. Eine Zeit-Umfrage: Brauchen wir einen neuen Literatur-Kanon? In: Die Zeit 21 (16. Mai 1997), S. 1

Greiner, Ulrich (1997b): Was sollen Schüler lesen? Die Zeit-Umfrage (1). In: Die Zeit 21 (16. Mai 1997), S. 50–51.

Greiner, Ulrich (1997c): Was sollen Schüler lesen? Die Zeit-Umfrage (2). Die Zeit 22 (23. Mai 1997), S. 42–43.

Greiner, Ulrich: Die Zeit-Schülerbibliothek. Weshalb wir einen literarischen Kanon brauchen. In: Die Zeit 42 (10. Oktober 2002), S. 45–46

Heydebrand, Renate von (Hg.): Kanon Macht Kultur. Theoretische, historische und soziale Aspekte ästhetischer Kanonbildungen. Stuttgart / Weimar 1998 (DFG-Symposion 1996, Germanistische Symposien Berichtsbände 19)

Heydebrand, Renate von / Winko, Simone: Geschlechterdifferenz und literarischer Kanon. Historische Beobachtungen und systematische Überlegungen. In: Internationales Archiv für Sozialgeschichte der Literatur 19 (1994), H. 2, S. 96–171

Reich-Ranicki, Marcel: Spiegel-Gespräch. „Literatur muss Spaß machen." Marcel Reich-Ranicki über einen neuen Kanon lesenswerter deutschsprachiger Werke. In: Der Spiegel 25 (18. Juni 2001), <http://www.spiegel.de/spiegel/0,1518,141384,00.html>

Schneider, Manfred: Betrug! Der Zeit-Kanonkonsens: Ein Offenbarungseid. In: Die Zeit 25 (13. Juni 1997), S. 49

Zielke, Anne: Die Fähigkeit zu mauern. Alle Macht kommt aus dem Kanon: Was sollen wir lesen? In: Süddeutsche Zeitung (5. Juni 1997).

Zymner, Rüdiger: Anspielung und Kanon. In: von Heydebrand, S. 30–46

Zymner, Rüdiger: Kanon zwischen Wunsch und Wirklichkeit. In: Mitteilungen des Deutschen Germanistenverbandes, September 1996.

Karin Sousa

LESELANDSCHAFTEN IM OSTEN
DEUTSCHLANDS

EINLEITUNG

Das Folgende stellt aus primär literatursoziologischer Sicht eine Auseinandersetzung mit dem Lesen belletristischer Literatur in der DDR und in den neuen
Bundesländern dar, in die punktuell auch totalitarismustheoretische Reflexio-
nen einfließen. Die vorgenommene Beschränkung auf belletristische Literatur
liegt darin begründet, dass diese in der DDR im Vergleich zu anderen autoritären Staaten und im Vergleich auch zur Bundesrepublik eine besondere Bedeutung und Funktion innehatte. Im ersten Teil des Beitrags wird es um genau
diese Bedeutung und Funktion belletristischer Literatur in der DDR gehen, im
zweiten Teil soll auf der Basis zweier Erhebungen aus den Jahren 1992 und
2000 das ostdeutsche Leseverhalten während und nach der Wende beschrieben und analysiert werden.

I. LESEFÖRDERUNG UND ZENSUR IM „LESELAND" DDR

Im gesellschaftlichen Interesse.
Aha, natürlich,
erwidere ich: das Ding, um dessentwillen
ich schreibe.
(Volker Braun)

Und da war die Zensur. Jedes Manuskript mußte in Berlin beim
Kulturellen Beirat eingereicht werden.
Der erteilte dann die Druckgenehmigung oder verweigerte sie; [...]
Einmal redete ich mit Kuba darüber, der gestand mir knirschend
zu, das sei natürlich nicht die wahre Demokratie, aber ein kurzzei-
tig notwendiges Übel. Noch wären nicht so viele marxistische Lek-
toren herangebildet worden, daß man alle Verantwortung bei den

Verlagen lassen könnte, deshalb müsse man die wenigen
Verläßlichen konzentriert einsetzen.
Ein paar Jährchen hin, und man könne auf diese zentrale
Kontrolle verzichten.
Kuba irrte sich.
(Erich Loest)

Aber Hinze wartete draußen. Er hat auch späterhin nichts erfahren,
und auch der Leser wird es nicht.
Vergessen wir nicht, daß wir im gesellschaftlichen Interesse schreiben und auch lesen. Weshalb sonst kann so vieles nicht direkt gesagt werden? Zum Beispiel folgende Geschichte – undenkbar,
sie aufzuschreiben.
(Volker Braun)

Von staatlicher Seite ist das Schreiben und Lesen von Literatur in der DDR
gefördert und verhindert worden und beides in vergleichsweise extremer
Form.

Es gibt eine einfache Rechnung: Wollen wir die Arbeitsproduktivität und
damit den Lebensstandard weiter erhöhen, woran doch alle Bürger der
DDR interessiert sind, dann kann man nicht nihilistische, ausweglose und
moralzersetzende Philosophien in Literatur, Film, Theater, Fernsehen und
Zeitschriften verbreiten. Skeptizismus und steigender Lebensstandard
beim umfassenden Aufbau des Sozialismus schließen einander aus.[1]

Die politischen Konsequenzen, die Honeckers „einfache Rechnung" ausspart,
hatte der erste Kulturminister der DDR Johannes R. Becher neun Jahre zuvor,
im Jahr 1956, konkret benannt:

Darf der Staat oder ist es wünschenswert, dass der Staat in die Kultur ein-
greift oder sogar die Entwicklung des kulturellen Schaffens bestimmt? […]
Wenn der Staat, wie unser Arbeiter- und Bauernstaat, identisch ist mit den
Interessen der Mehrheit der Bevölkerung, […] dann wäre es absurd, diesem Staat das Recht abzusprechen, sich in kulturelle Dinge einzumischen.
Ja umgekehrt, ein solcher Staat hat die Verpflichtung, das kulturelle Leben
zu beeinflussen und es wäre eine tiefe Unterschätzung der Bedeutung der
Kultur, wenn man diese aus der Sphäre der staatlichen Beeinflussung aus-
schalten würde. Der moderne, der neue, der fortschrittliche Staat hat also
die Pflicht, sich als ein Kulturstaat zu konstituieren, und zwar in dem
Sinne, dass er durch Beeinflussung der kulturellen Entwicklung die ge-

---

[1] Erich Honecker, zit. nach Loest 1993, S. 47.

samte Nation zu einer Kulturnation umgestaltet. Welche Mittel wendet der Staat an? Administrative Mittel, Rolle der gesellschaftlichen Organisationen, der neue Charakter der Staatsorgane. Beispiel: Ministerium für Kultur.[2]

Beide Zitate machen deutlich, dass die Staatsmacht der DDR der Kultur von Anfang an einen zentralen Platz zugewiesen hat, und das hatte bestimmte Gründe. Man sprach der Kultur ein hohes Maß an gesellschaftspolitischer Wirksamkeit zu, die man „im gesellschaftlichen Interesse" für die eigenen Zwecke nutzen wollte. Becher zufolge sollte es die Aufgabe der Literatur und insbesondere der Gegenwartsliteratur sein, die Bürger zu „sozialistischen Persönlichkeiten" zu erziehen, d.h. sie sollte auf eine finale Wirklichkeit hin identitäts- und gesellschaftsbildend wirken. Um der Literatur nun auf breiter Basis zu Ansehen und Wirkung zu verhelfen, hat man weder Kosten noch Mühen gescheut und ein weitreichendes administratives und institutionelles System der Leseförderung etabliert. Eine hohe Bedeutung wurde der Literaturvermittlung von institutioneller Seite bereits im Kindergarten, den in der DDR die meisten Kinder besuchten[3], und im Leseunterricht der 1.–4. Klassen beigemessen. Durch die Differenzierung zwischen Sprach- und Literaturunterricht, die im Vergleich zu anderen Fächern hohe Stundenzahl des Literaturunterrichts und die große Menge an Lesestoff, die im Curriculum vorgeschrieben war, erhielt der Literaturunterricht ab der 5. Klasse der allgemeinbildenden Polytechnischen Oberschule einen im Vergleich zur Bundesrepublik besonderen Stellenwert[4]. Fortgesetzt wurde die Leseförderung auch noch in den Phasen der Berufsausbildung und Berufsausübung[5]. Darüber hinaus bemühte man sich, mit hohen Auflagen[6], niedrigen Buchpreisen und gezielten Werbekampagnen wie Buchausstellungen, Literaturfestivals und -wettbewerben sowie mit einem dichten Netz von Buchhandlungen[7] und Bibliotheken[8] das

---

[2] Zit. nach Wiesner 1991, S. 20.

[3] Vgl. Hüttner 1989, S. 50–76, insbesondere S. 53.

[4] Vgl. dazu Müller-Michaels 1990, S. 234ff., Lehmann 1995, S. 82ff. sowie die im Rahmen des DFG-Projekts „Geschichte des Deutschunterrichts in beiden deutschen Staaten von 1945–1989" (Bochum/Berlin) entstehende Studie, die voraussichtlich 2006 erscheinen wird.

[5] Vgl. Löffler 1998, S. 21.

[6] Produziert wurden in der DDR im Jahr 1984 mehr als acht Bücher pro Kopf, vgl. dazu Ducland 1989, S. 28ff. Gesellschaftswissenschaftliche und belletristische Literatur kamen zusammen auf fast 60% der gesamten Buchproduktion. Dieser hohe Anteil wurde allerdings in erster Linie nicht durch die große Anzahl an Titeln, sondern durch eine große Auflagenhöhe vergleichsweise weniger Einzeltitel erzielt (rund 23.000 Exemplare pro Auflage), vgl. dazu Löffler 1998, S. 22.

[7] Vgl. Löffler 1998, S. 21f.

[8] In den 80er Jahren verfügten 97% der Gemeinden über öffentliche Bibliotheken, deren Bestände bis zum Ende der DDR kontinuierlich erweitert wurden. Allerdings war das Sortiment dieser Bibliotheken aufgrund der Zensurbestimmungen stark eingeschränkt.

Buch unters Volk zu bringen. Trotz dieser gezielten Leseförderung, die besonders den bis dahin sozial und kulturell benachteiligten Bevölkerungsschichten einen Zugang zur schönen Literatur verschaffen sollte, kommen Untersuchungen von 1970 und 1977 zu dem Ergebnis, dass sich 11% der Erwachsenen
in der DDR als Nichtleser bezeichneten[9], dass auf dem Land nur halb so viel
gelesen wurde wie in der Stadt[10], dass soziale Faktoren das Leseverhalten entscheidend mitbestimmten[11], dass Gegenwartsliteratur vornehmlich von der
Intelligenz rezipiert wurde und der Anteil der gelesenen Gegenwartsliteratur
im Vergleich vor allem zur „Unterhaltungsliteratur" mit den Jahren abnahm[12].
Wolfgang Emmerich folgert daraus:

> [I]n keinem deutschen Staat wurde so viel gelesen wie in der DDR. Doch
> ein demokratisches Volk kompetenter Leser gab es deshalb noch lange
> nicht.[13]

Auch Dietrich Löffler relativiert die durch den Begriff „Leseland" ausgelösten
Vorstellungen vom außerordentlichen Leseverhalten der DDR-Bürger, wenn
er schreibt:

> Im Begriff schwingt natürlich die Vorstellung mit, in der DDR sei mehr
> gelesen worden. Dies war nicht der Fall, auch wenn es der unterschiedli-
> chen Erhebungsmethoden wegen schwer fällt, im direkten Vergleich ein-
> deutige empirische Belege beizubringen. In international vergleichenden
> Studien nahm die Lesehäufigkeit der DDR-Bevölkerung einen guten vor-
> deren Platz ein.[14]

Auch wenn Gegenwartsliteratur in der DDR letztlich nicht die gewünschte
Breitenwirkung erzielt hat, so hat man ihr von staatlicher Seite bis zum
Schluss eine besondere Bedeutung beigemessen. Schriftsteller wurden staatlich gefördert, an die Vergabe von Preisen und Stipendien aber war, wie gesagt, eine Bedingung geknüpft: sie hatten den kulturpolitischen Aufgaben
nachzukommen. Um nun zu gewährleisten, dass nur kulturpolitisch zweck-

---

Umfragen der Stiftung Lesen von 1992 zufolge geben Ostdeutsche an, in ihrer Kindheit
sehr viel häufiger Bibliotheken genutzt zu haben als Westdeutsche: vgl. Leseverhalten
1993, S. 46; vgl. auch Emmerich 2000, S. 51.

[9] Vgl. Löffler 1989, S. 120. Emmerich beziffert den Anteil der „dauernde[n] Nichtleser" unter Berufung auf Erhebungen, die er allerdings nicht benennt, sogar mit 30–50%: vgl. Emmerich 2000, S. 47.

[10] Vgl. ebda., S. 126.

[11] Vgl. ebda., S. 129f.

[12] Vgl. ebda., S. 139 und 142.

[13] Emmerich 2001, S. 514.

[14] Löffler 1998, S. 20. Löffler, der sich auf zwei Erhebungen von 1970 und 1977 bezieht, gibt
an, der größte Teil ostdeutscher Leser lese zwischen 2 und 12 Büchern im Jahr, 15% läsen
durchschnittlich mehr als 12 Bücher: vgl. ders. 1989, S. 120.

dienliche Literatur die Leserschaft erreichte, mussten die literarischen Pro-
duktions- und Distributionsprozesse kontrolliert und gelenkt werden. Das
hatte zur Folge, dass Schriftstellern, Verlegern und Lesern diktiert wurde, wie
und was sie zu schreiben, zu verlegen bzw. zu lesen hatten, und wie und was
nicht. Von einem Mitsprache- und Selbstbestimmungsrecht der am „Literatur-
entwicklungsprozess" Beteiligten konnte bis zum Ende der DDR keine Rede
sein, auch wenn Johannes R. Becher schon frühzeitig auf die Bedeutung eines
solchen Rechts aufmerksam gemacht hat:

> Der Charakter der Literatur als einer Literaturgesellschaft, der Charakter
> des Schriftstellers selbst als eines kollektiven Wesens verlangt von uns
> auch eine neue Betrachtungsweise des künstlerischen Schaffensprozesses
> [...] weder dürfen [...] die Verleger, Redakteure, die Lektoren, die Buch-
> händler ausgeschlossen werden, aber schon ganz und gar nicht die Leser
> [...], als eine nie ruhende Stimme, als eine unsichtbar wirkende Korrektur
> – als sein besserer Teil, als sein Gewissen[15].

Das „Leseland" DDR beruhte nicht auf freiheitlichen Prinzipien. Die „Freiheit" insbesondere der Leser, die kurz in Volker Brauns „Hinze-Kunze-Roman" aufscheint, wenn es heißt:

> Freiheit, wie schmeckst du? Wie kommt man auf den Geschmack? – Ich
> habe Pause, lieber Leser. – Wenn die Pause vorbei ist, hat Hinze nicht mehr
> die Freiheit, über die du jetzt schreiben könntest. – Sein Pech. – Dein
> Buch.[16]

– Diese „Freiheit" ist von offizieller Seite so weit wie möglich beschnitten worden. Die Lektüremacht lag in der DDR in den Händen einiger weniger.

Zur Durchsetzung ihrer Interessen ist ein hierarchisches System von Zensurinstanzen geschaffen worden, das vom Gutachter und Lektor über den
Cheflektor und Verlagsleiter, über den Verlagsbetreuer der Literaturbehörde
bis hin zum stellvertretenden Minister für Kultur und dem Politbüro reichte.
Darüber hinaus gehörten diesem System auch Institutionen wie die Autoren-
verbände, die öffentliche Literaturkritik, das Büro für Urheberrechte und seit
den 60er Jahren Spezialabteilungen des Staatssicherheitsdienstes an. Die eigentliche Machtinstanz stellte in diesem komplexen Gebilde allerdings nicht
das „Ministerium für Kultur" dar, sondern eine Literaturbehörde, die zunächst Amt für Literatur und Verlagswesen (ALV) hieß und, bis sie 1963 zur

---

[15] Johannes R. Becher, zit. nach Barck 1998, S. 316. Tatsächlich ist, wie im Folgenden noch
   angedeutet wird, im Rahmen von Überlegungen zur „Abschaffung" der Zensur diskutiert
   worden, ob Verantwortlichkeiten „nach unten" delegiert werden sollten.
[16] Braun 1988, S. 42.

Hauptverwaltung Verlage und Buchhandel (HV) wurde, immer professionalisierter in Erscheinung trat[17]. Diese Literaturbehörde war seit Mitte der 50er Jahre mit Kontroll- und Steuerungsmöglichkeiten ausgestattet, die die Betreuung der Verlage und deren Themenplanung umfassten, ferner die Begutachtung der einzelnen Manuskripte, die Bestimmung der Auflagenhöhe der einzelnen Titel, gegebenenfalls die Art ihrer öffentlichen Besprechung und vor allem die Erteilung von Druckgenehmigungen. Sie stellte die Institution dar, ohne deren Zustimmung keine Produktion und keine Distribution erfolgten, und verkörperte damit, wenn man so will, die streng tabuisierte literarische Zensur[18].

Ausgelöst wurden Zensurmaßnahmen im engeren Sinne nun durch die Wahl bestimmter Begriffe und Themen, die als Kritik an der DDR verstanden wurden, durch kritische Äußerungen in Bezug auf Repräsentanten des Sozialismus und das sozialistische System sowie durch so genannte dekadente, subjektivistische, skeptizistische, pessimistische oder nihilistische Positionen, die aus Sicht der Staatsmacht das sozialistische Welt- und Menschenbild zu untergraben drohten. Druckverzögerungen und -verbote wurden darüber hinaus in Einzelfällen mit positiven Buchbesprechungen ostdeutscher Autoren in den „imperialistischen Medien" begründet oder mit dem Erscheinen des Originalwerkes im Westen, das somit die Möglichkeit eines direkten Vergleichs mit dem zensierten Ostexemplar geboten hätte[19]. Ein feststehender Kriterienkatalog, auf den sich Zensoren hätten beziehen und berufen können, existierte allerdings nicht. Es gab ab 1960 lediglich „Richtlinien für die Begutachtung", die in schriftlicher Form nur der Literaturbehörde vorlagen und je nach politischer Situation, je nach Zensor und Autor unterschiedlich ausgelegt wurden. Zwar erscheint es unmöglich, Kriterien für Kanonisierungsvorgänge, wie sie in der DDR abliefen, zu formulieren und konsequent auf Literatur anzuwenden, dennoch: der chronische Mangel an verbindlichen Handlungsanweisungen, der u.a. durch politische Kurswechsel bedingt war, die immer wieder eine Überarbeitung der Zensurkriterien erforderten, mag als Beispiel für die erstaunliche Unterregulierung in diversen Bereichen des Kontrollapparats der DDR dienen, die notwendigerweise Improvisations- und Willkürakte nach sich zog.

Die Instrumente der Zensur sind in der DDR, synchron und diachron betrachtet, unterschiedlich rigoros angewendet worden. Was dem einen Schrift-

---

[17] Zum verwirrenden Gebrauch von Namen im Hinblick auf die Behörde und ihren jeweiligen Aufgabenbereich: vgl. z.B. Barck 1998, S. 19ff.

[18] Die Zensur hat in der DDR insofern nicht real existiert, als sie auf der Grundlage prinzipiellen Einverständnisses aller Beteiligten als Arbeit am gemeinsamen Ziel deklariert wurde, vgl. dazu Kahlefendt 2000, S. 30; vgl. dazu ferner Aussagen Walter Ulbrichts und Erich Honeckers über die Zensurpraxis in: Jäger 1993, S. 18f.

[19] Vgl. die vielen Einzelbeispiele für Zensurmaßnahmen in: Wiesner 1991.

steller Lob und Preise bescherte, konnte dem anderen zur gleichen Zeit bei gleichem Tatbestand Kritik und Strafe einbringen[20]. Höhepunkte der Zensur stellten über den gesamten Zeitraum hin die Jahre 1951 mit der sogenannten „Formalismusdebatte", 1956 mit den Aufständen in Polen und Ungarn, 1965 mit dem 11. ZK-Plenum und 1976 mit der Biermann-Ausbürgerung dar. Die letzten fünfzehn Jahre sind dann einerseits durch eine etwas größere Toleranz, ein differenzierteres Vorgehen bzw. ein mangelndes Konzept von Seiten der Zensurinstanzen geprägt, sie zeichnen sich andererseits durch eine zunehmende Kriminalisierung kritischer ostdeutscher Autoren aus, deren Äußerungen, als „öffentliche Herabwürdigung", „staatsfeindliche Hetze" bis hin zur Spionage verstanden, Haftstrafen oder Ausbürgerungen nach sich ziehen konnten. Darüber hinaus sind diese Jahre durch verstärkten ökonomischen Druck auf die Autoren gekennzeichnet, durch vermehrte Ausschlüsse aus Schriftstellerverband und Partei sowie durch mitunter schwere Verletzungen ihrer Privat- und Intimsphäre[21]. Das offensive Zensursystem wurde demnach durch „gesetzliche Sanktionsmöglichkeiten"[22] gestützt.

Auffällig ist, dass sich der Grund für den Einsatz von Zensurmaßnahmen, legt man einen weiten Zensurbegriff zugrunde, deutlich von dem in anderen autoritären Staaten unterscheidet: Nicht das Nicht-Erscheinen bestimmter Bücher war das primäre Ziel des DDR-Regimes, sondern die Kontrolle, Steuerung, Funktionalisierung und Instrumentalisierung der Literatur gemäß ihren Interessen. Die Zensur, die anfangs gegen das „Falsche", gegen nazistische und kriegsverherrlichende Literatur gerichtet war, kehrte sich, da man sich im Staate eingerichtet hatte, zunehmend gegen das „Fremde" und „Individuelle", gegen „Innovation und Wandel" und diente somit dem Machterhalt der einen Partei. Da half auch ein Argument wie das Wolfgang Hilbigs nicht, der 1981 gegenüber dem ‚Buchminister' Klaus Höpcke darauf bestand,

daß niemand in diesem Land das Recht hat, mein Werk auf Fremdbestimmung hin zu kontrollieren. Ich muß Sie darauf aufmerksam machen, daß ich einer Generation angehöre, die sich nicht mehr zensieren läßt, aus logischen Gründen, denn diese Generation hat bisher nirgends als in der DDR existiert[23].

---

[20] Vgl. zum „feingestaffelten System von Privilegien und Sanktionen", das Joachim Walther zufolge dazu diente, die Bildung einer Gruppenidentität unter Schriftstellern zu unterbinden: Walther 1996, S. 91.

[21] Einen Eindruck dessen vermitteln u.a. Reiner Kunzes *Deckname Lyrik*, Erich Loests *Der Zorn des Schafes*, Jürgen Fuchs' *Landschaften der Lüge* und Christa Wolfs *Was bleibt*.

[22] Emmerich 2000, S. 54.

[23] Wolfgang Hilbig, zit. nach Wiesner 1991, S. 31.

Hilbig ist übrigens einer der wenigen Autoren, die gegen die Zensur protestierten, indem sie auf die Unmöglichkeit eines „feindlichen Elements" im Text hinwiesen. Viele andere gerieten in die „Loyalitätsfalle"[24], wenn sie im Sinne des Sozialismus, des Staates, der Gesellschaft, des Volkes und der Menschen argumentierten bzw. dahingehend, dass sie missverstanden worden seien und ihr Werk doch der großen Sache diene[25]. Das Recht auf Widerspruch oder künstlerische Funktionsfreiheit – was innerhalb des funktionalisierten literarischen Raums allerdings wieder eine Funktion dargestellt hätte – ist von Seiten der Schriftsteller m. W. nicht öffentlich eingefordert worden[26] – außer in dem Sinne, dass sich manche Autoren dem Ringen um die richtigen Worte gar nicht erst aussetzten.

Die Kulturhoheit, die im Sinne des „Gesamtkunstwerks DDR"[27] auf der „Zusammenführung von Literatur und Arbeitswelt, Kunst und Leben" bestand, die Kunst auf eine politisch-erzieherische Aufgabe reduzierte und sie damit um eines ihrer aus westlich moderner Sicht wesentlichen Merkmale, ihre Freiheit, zu bringen versuchte, wusste anhand der Kriterien gesellschaftlich nützlich und staatstragend bzw. gesellschaftlich unnütz und staatsgefährdend Kunst von Nicht-Kunst zu unterscheiden und griff durch ihre streng dualistisch geprägte Vorgehensweise nachhaltig in die Bereiche künstlerischer Produktion und Rezeption ein. Indem sie im künstlerischen Bereich Akte der Kategorisierung und Kanonisierung vollzog, ging sie im neu gegründeten DDR-Staat ‚wertschöpfend' vor, d. h. sie maß sich das Wertungswissen an und damit das Definitionsmonopol. Schriftsteller mussten sich schwarz auf weiß verpflichten, bestimmte inhaltliche und ästhetische Normen zu erfüllen, die sich unter dem Stichwort des „Sozialistischen Realismus" bündeln lassen[28]. Im Statut des Schriftstellerverbands vom November 1973 heißt es wörtlich:

> Die Mitglieder des Schriftstellerverbandes der DDR anerkennen die führende Rolle der Arbeiterklasse und ihrer Partei in der Kulturpolitik. Sie bekennen sich zur Schaffensmethode des sozialistischen Realismus. Sie treten entschieden gegen alle Formen der ideologischen Koexistenz und

---

[24] Emmerich 2000, S. 53.
[25] Vgl. Jäger 1991.
[26] Vgl. zu den Gründen, die z. T. auf der Hand liegen: Jäger 1993, S. 27.
[27] Der Begriff wird in Anlehnung an Boris Groys gebraucht, vgl. ders. 1988.
[28] Vgl. zum Programm des „Sozialistischen Realismus": Langermann 1998. Eine kritische literarische Auseinandersetzung mit der Forderung nach dem Konzept des Sozialistischen Realismus findet sich u. a. in Volker Brauns *Hinze-Kunze-Roman*, wo ‚Sozialistisches' und ‚Realistisches' gegeneinander ausgespielt werden, wenn es heißt: „Nach diesem sehr persönlichen Anfang, der mit der Hauptverwaltung abgesprochen ist, wenden wir uns der eigentlichen Handlung zu, der wesentlichen Darstellung der Wirklichkeit. Dies erfordert einen Realismus, der den großen Atem unserer Zeit hat. Zwar gibt es genug Gegenstände,

das Eindringen reaktionärer und revisionistischer Auffassungen in die Bereiche der Literatur auf.[29]

Auf dasselbe Statut bezog sich Günter de Bruyn dann, als er im November 1987 zusammen mit Christoph Hein beim X. Schriftstellerkongress der DDR in spektakulärer Weise dazu aufrief, die Zensureinrichtung abzuschaffen[30]:

> Diese Praxis [die Druckgenehmigungspraxis, K.S.], die uns erfreulicherweise vor kriegsverherrlichender Literatur und anderen Scheußlichkeiten bewahrt, schränkt leider auch die aufklärerische Wirkung von DDR-Literatur ein. […] Eine Gesellschaft, die diese Praxis, […] nicht zur rechten Zeit abschafft, schädigt ihr Ansehen, nährt Zweifel an ihrer Reformfähigkeit und beraubt sich der Antriebskraft der Kritik. […] Laut Statut vertritt der Verband auch die künstlerischen Belange seiner Mitglieder, und zu diesen gehört die Druckgenehmigungsfrage unbedingt.[31]

Christoph Hein kritisierte das Druckgenehmigungsverfahren bei dieser Gelegenheit als „überlebt, nutzlos, paradox, menschenfeindlich, volksfeindlich, ungesetzlich und strafbar". In seiner Rede heißt es in Bezug auf den Leser:

> Den Leser entmündigt die Zensur. Er kann ihr folgen und die Beschränkungen akzeptieren oder ihr widerstehen und sich ihr mit dem dann nötigen größeren Aufwand entziehen, um das nicht genehmigte Buch zu lesen. In jedem Fall ist seine Wahl von der Zensur bestimmt. […] Die Zensur ist volksfeindlich. Sie ist ein Vergehen an der so oft genannten und gerühmten Weisheit des Volkes. Die Leser unserer Bücher sind souverän genug, selbst urteilen zu können. Die Vorstellung, ein Beamter könne darüber entscheiden, was einem Volk zumutbar und was ihm unbekömmlich sei, verrät nur die Anmaßung, den „Übermut der Ämter". Das Genehmigungsverfahren, die Zensur muß schnellstens und ersatzlos verschwinden, um weiteren Schaden von unserer Kultur abzuwenden, um nicht un-

---

vor denen uns der Atem stockt; man sieht es unsern hochroten, ewig röchelnden Romanciers an. Aber ich habe keine Wahl, ich muß mich an das Leben halten, das unsere Helden führen […] Wir haben wieder das gesellschaftliche Interesse aus den Augen verloren. Eine kleine blasse und sogar dünne Wäscherin verpflichtet sich zu sonstwas, und Hinze und Kunze sollten abseits stehen? Ohne Diskussion? Das wäre ein Kunstfehler, eine Schwäche des Werks, die mir der Leser, den wir uns wünschen, nicht verzeihen würde." (Braun 1988, S. 14f. und 31).

[29] Zit. nach Emmerich 2000, S. 43f.

[30] Ein Jahr zuvor hatte Adolf Endler in einem Brief an den Stadtrat für Kultur des Leipziger Stadtbezirks Süd auf die P.E.N.-Charta verwiesen, in der es heißt: „Der P.E.N. …… verwirft die Zensur", zit. nach Wiesner 1991, S. 122.

[31] Günter de Bruyn, zit. nach Wiesner 1991, S. 32f.

sere Öffentlichkeit und unsere Würde, unsere Gesellschaft und unseren Staat weiter zu schädigen.[32]

Die Abschaffung der Zensur war schon zuvor wiederholt diskutiert worden, so etwa 1956, 1965, 1972/73, sie wurde auch zum Ende der DDR noch einmal erwogen, allerdings nicht im prinzipiellen Sinne, sondern lediglich in Form einer Verschiebung von Verantwortlichkeiten „nach unten", zu den Verlagen hin.

Nach der Wende sind Stimmen zu hören gewesen, die die Zensurpraxis in der DDR rückblickend herunterspielten. In einer Rede Eberhard Hilschers von 1991 heißt es:

> Endlich zerstob der böse Fluch und Spuk im Herbst 1989. – Danach: Welch große Hoffnung auf günstigere Schaffensbedingungen und neue Ausdrucksmöglichkeiten durch freien, wahrhaftigen Wortgebrauch! [...] Doch bald mußten wir begreifen, daß uns die herbeigejauchzte freiheitlich-demokratische Grundordnung keineswegs das Heil bescherte [...]. Erschreckende Erkenntnis: Die frühere parteipolitische Zensur wurde ersetzt durch eine marktwirtschaftliche. Ernüchterndes Fazit: ‚Freiheit ist nur in dem Reich der Träume'[33].

Indem Hilscher so weit geht, das Zensursystem der DDR mit den freien Marktgesetzen der Bundesrepublik gleichzusetzen, wird deutlich, welch anhaltende Wirkung Marx' Diktum von der „Poesiefeindlichkeit des Kapitalismus" besaß, ferner welche ‚Sicherheit' das Literatursystem der DDR den Autoren neben aller Bevormundung und Schikane geboten hatte und was für einen Kulturschock die Umstellung auf westdeutsche Strukturen entsprechend ausgelöst haben muss. Herbert Wiesner sieht die Sache optimistischer, wenn er bemerkt, in der DDR sei

> die Literatur zugleich überschätzt und unterschätzt [worden], und daher rührt auch die Legende, nirgendwo sei Literatur so ernst genommen und so geachtet worden wie in der literarischen Planwirtschaft, während der Westen die Literatur doch nur beschimpft und in die politisch bedeutungslose Narrenfreiheit entlassen habe. Wer kann denn sagen, daß die Späße der Narren nicht ernst gemeint seien?[34]

Folgt man nun einer These Bourdieus, die lautet: „Vollkommen und unsichtbar ist eine Zensur erst dann, wenn jedermann nichts anderes zu sagen hat als

---

[32] Christoph Hein, zit. nach Wiesner 1991, S. 34ff. Über die Auswirkungen dieser Reden vgl. u.a. Wichner 1993, S. 203.

[33] Eberhard Hilscher, zit. nach Emmerich 2000, S. 449.

[34] Wiesner 1993, S. 16.

das, wozu er objektiv befugt ist"[35], dann muss man feststellen, dass das Zensursystem der DDR versagt hat. Es erbrachte nicht die auf breiter Basis angestrebte Konsensbildung, sondern hinterließ deutliche Spuren gescheiterter Kommunikation und Vermittlung: psychisch und physisch beschädigte Autoren, der Zensur und Selbstzensur zum Opfer gefallene Texte sowie eine Leserschaft, die sich bevormundet fühlte.

Die Literaturpolitik der DDR hatte ein verhältnismäßig begrenztes, einheitliches, kontinuierliches und daher überschaubares Angebot ohne episodische Modeerscheinungen zur Folge.

Die Lektüre des durchschnittlichen Lesepublikums rekrutierte sich, wie die empirischen Studien aus den sechziger und siebziger Jahren ausweisen, jahrelang aus der Literatur des Werkekanons, der von der Schule und der Literaturpropaganda beharrlich verbreitet worden war. Die ständige Anwesenheit der geförderten Literatur bewirkte, daß sie sich in der Lektüre eines breiten Publikums durchsetzte und daß eine Fokussierung des allgemeinen Interesses auf einzelne Titel möglich wurde.[36]

Die institutionelle Pflege und Sicherung eines überschaubaren Buchangebots hat dazu beigetragen, dass sich im Osten Deutschlands über die Jahre hin eine Form kollektiver Leseerfahrung gebildet hat. Gleichzeitig ist die Begrenztheit des Angebots, die im proklamierten „Leseland"[37] deutlich als Mangel und Bevormundung empfunden worden ist und nur punktuell überwunden werden konnte, Teil einer gemeinsamen Erfahrung: „Das Buch war – anders als geplant – zu einem kostbaren Gut geworden, das sich anschickte, seinen Warencharakter zu verlieren"[38].

---

[35] Pierre Bourdieu, zit. nach Assmann 1987, S. 19f.
[36] Löffler 1998, S. 22f.; vgl. auch ders.: 1989, S. 141ff.
[37] Zur Geschichte dieses Begriffs, der zu einem Topos wurde: vgl. Löffler 1998, S. 20.
[38] Löffler 1998, S. 23. In begrenztem Maße ließ sich dem Empfinden von Mangel und Bevormundung nun entgegenwirken, so z.B., indem man Buchhandlungen auf dem Land aufsuchte, die häufig über ein größeres Buchangebot verfügten, zu Buchbasaren fuhr, auf denen ausgefallene Bücher zu erstehen waren, Bücher, die in der DDR nicht zu beziehen waren, im sozialistischen Ausland oder im Westen erwarb und das Erworbene im privaten Kreis zirkulieren ließ (vgl. ebda.). Kritische ostdeutsche Literatur, die von Zensurmaßnahmen betroffen war, erschien nicht den Status eines Samisdat, sondern erschien, wenn sie erschien, im offiziellen Format, d.h. sie konnte regulär bezogen werden. Elke Mehnert macht allerdings darauf aufmerksam, dass es auch und gerade, wenn ein Text entscheidend gekürzt worden war, zu „Samisdat-Aktivitäten" kam: „Kein Text ist wohl so oft abgeschrieben, vervielfältigt und an Vertraute weitergereicht worden wie der „Pünktchen-Ersatz" zur Edition des Aufbau-Verlages" von Christa Wolfs *Kassandra* (Mehnert 1996, S. 270). Die Pünktchen machten auf die Kürzungen aufmerksam, die für die erste Auflage der DDR-Edition hatten vorgenommen werden müssen, während die westdeutsche Ausgabe den vollständigen Text enthielt.

Eine solche Wertschätzung erfuhr das Buch nun vor allem von Seiten der älteren Generation. Die nach 1960 Geborenen gehörten einer neuen Generation an, die sich von den Werten der Staatskultur lossagte und sich nicht mehr so stark für das Buch interessierte und engagierte. Der Wirkungsverlust belletristischer Literatur in den 80er Jahren, der darauf zurückzuführen ist, dass bestimmte Bedürfnisse und Interessen einer breiten Leserschaft systematisch vernachlässigt worden waren[39], manifestierte sich u. a. als Rückgang an Entleihungen in den Bibliotheken[40] und als Zuwachs an Lagerbeständen im Buchhandel beim Leipziger Kommissions- und Großbuchhandel (LKG)[41]. Deutliche Veränderungen im Leseverhalten zeichneten sich zudem in den Ergebnissen zweier Erhebungen aus den Jahren 1988 und 1989 ab, die Löffler folgendermaßen zusammenfasst:

> In der Lektüre von Gegenwartsliteratur aus der DDR, die früher von Titeln aus dem Kanon dominiert wurde, sind nur noch Bücher von Bruno Apitz, Erik Neutsch und Dieter Noll geblieben; einige der früher in der Spitzengruppe der ersten zwanzig stets vertretenen Schriftsteller wie Anna Seghers, Hermann Kant, vor allem auch Autoren der Sowjetliteratur wie Boris Polewoi und Alexander Fadejew fehlen nun. Jüngere, von der Literaturpropaganda herausgehobene und für die Schullektüre vorgesehene Texte wie Dieter Nolls „Kippenberg" werden trotz des Prestiges des Autors nicht angenommen. Nach diesen Listen wird die Lektüre der DDR-Literatur von den kritischen Autoren Christoph Hein, Stefan Heym, Erwin Strittmatter und Christa Wolff angeführt. […] Darin wurde die paradoxe Entwicklung sichtbar, daß das von der Kulturpolitik eingeforderte Interesse für die sozialistische Gegenwartsliteratur und die damit verbundene Realismuseinstellung sich nunmehr gegen ihre Urheber stellte, insofern als sich die Leser jener Literatur zuwandten, die die realsozialistischen Verhältnisse kritisierte.[42]

Im Zuge der Auseinandersetzung mit den offiziellen Maßgaben und Richtlinien stellt sich die Frage, welche Vorstellungen von Literatur und Leserschaft

---

[39] Vgl. Lindner 1991.
[40] Vgl. Löffler 1998, S. 21.
[41] Vgl. Löffler 1998, S. 23.
[42] Löffler 1998, S. 25 und 24. Kritisch ließ sich auch die so genannte Dokumentarliteratur lesen, die vor allem in den 80er Jahren für eine breite Leserschaft eine bedeutende Rolle spielte. Sie hat, indem sie sich einen journalistischen Anstrich gab und ohne erzieherisches Pathos in Erscheinung trat, im Rahmen der allgemeinen „Ersatzfunktion" der Literatur offenbar eine besondere Öffentlichkeitsfunktion ausgeübt. Hier kam aus der Sicht Einzelner bzw. gesellschaftlicher Randgruppen ein Bild des DDR-Alltags zum Vorschein, das nicht mit dem offiziellen Bild der DDR zusammenfiel. Zumindest implizit wurden dadurch sowohl das offizielle Bild als auch die Zustände der inoffiziellen Wirklichkeit

den kulturpolitischen Entscheidungen der „Theoretiker" zugrunde gelegen haben. Wichtige Beobachtungen dazu finden sich in Texten von Erich Loest und Volker Braun:

> Zeige ich nicht *Probleme* auf? Das wäre zu wenig, meinten da die Theoretiker, ein Schriftsteller müsse seine Figuren *führen*, nicht dem Leser alle Entscheidungen anvertrauen – und schon waren wir im Disput über den positiven Helden und die Verantwortung[43]

– so heißt es bei Loest und bei Braun, der sich am Ende der folgenden Passage wiederum auf Reiner Kunze bezieht:

> Aber wer kennt sich in Kunze aus. Aber wer kennt sich schon? Wenn man die Zeitungen nicht hätte und die zuständigen Stellen, man wüßte wenig von sich zu halten, oder gegebnenfalls zuviel, jedenfalls nicht das Richtige, das im gesellschaftlichen Interesse liegt. Dieses große Ding gilt es immer wieder festzulegen und anschließend zu beraten, in zugehängten Gremien oder in weltoffener Tagung. [...] Wenn man das gesellschaftliche Interesse außer acht ließ, konnte man sagen: die Unwissenden, damit sie unwissend blieben, mußte man schulen.[44]

Tatsächlich hat man den lesenden Teil der Bevölkerung anscheinend für weitgehend passiv und unmündig gehalten und sich gleichzeitig genötigt gesehen, ihn passiv und unmündig zu halten. Um „Fehlinterpretationen", „ideologischer Desorientierung" und „unzulässigen Verallgemeinerungen" vorzubeugen, mussten Produktion und Distribution, Deutung und Vermittlung belletristischer Literatur kontrolliert und gesteuert werden. Man hat davon gesprochen, dass „unseren Menschen" bestimmte Texte „nicht zumutbar" seien und ihnen die Manuskripte daher nur selten im Originalzustand anvertraut, man hat jeden Tag aufs Neue versucht, das Büchersortiment auf das gesellschaftspolitisch, weltanschaulich, moralisch, ästhetisch Einwandfreie zu reduzieren, man hat kanonrelevante Meta-Texte nur in einer einzelnen Ausgabe erscheinen lassen[45] und durch eine gezielte Informations- und Rezensionspo-

---

kritisiert sowie der Widerspruch zwischen Wirklichkeit und Bild. Indem mit Strukturprinzipien wie der Montage gearbeitet wurde, bei der an die Stelle der Kategorien Einheitlichkeit, Kontinuität und Geschlossenheit, die für die Sinnhaftigkeit des Ganzen einstehen, Kategorien wie Heterogenität und Brüchigkeit treten, die Widersprüchlichkeit und Konstrukthaftigkeit verkörpern, wurde in diesem Bereich nicht nur jenseits der verordneten ideologischen Maßgaben, sondern auch jenseits der ästhetischen Richtlinien operiert.

[43] Loest 1993, S. 137.
[44] Braun 1988, S. 24f.
[45] In der DDR existierten zum selben Zeitpunkt immer nur ein Lexikon, eine Literaturgeschichte, eine Fachzeitschrift etc.

litik sowie im Rahmen der staatlichen Lesesozialisation „Hilfestellung bei der richtigen Interpretation" gegeben.

Das System der Leseförderung und Zensur, das zum einen auf Vertrauen in die Wirksamkeit belletristischer Literatur bei der Ausbildung ideologischer Anschauungen, zum anderen auf Angst vor der Wirksamkeit auch nur punktuell kritischer Literatur beruhte, lässt auf eine differenzierte und zugleich sehr funktionalistische und eindimensionale Vorstellung der Kulturhoheit von Literatur und Leserschaft schließen. Offenbar ist man davon ausgegangen, dass Texte feste Bedeutungen in sich tragen, die von Lesern in ‚kollektiver', also gleicher oder doch ähnlicher Weise herausgelesen werden und die Ursache antizipierbarer Wirkungen im Bereich ihrer Bewusstseinsbildung sind. Man hat also vermutlich gedacht, dass Leser eine passive, geschlossene Gruppe bilden, die durch die Etablierung absoluter Texte und Deutungsmuster[46] in ihrer Wahrnehmung, ihrem Denken und Handeln gelenkt werden kann. Zugleich kann der Grad der Angst vor übermächtigen, unmittelbar „gesellschafts- und staatsgefährdenden" Texten als Hinweis darauf gewertet werden, dass man auf kulturpolitischer Seite geahnt bzw. gewusst hat, dass Leser in ihrer Sinn- und Bedeutungszuweisung in hohem Maße individuell und kontextabhängig agieren, das große Literaturprojekt also trotz aller staatlichen Maßnahmen nicht ohne weiteres zu beherrschen sei. Für diese Vermutung könnte auch der Mangel an „Freiraum für die individuelle Interpretation literarischer Texte"[47] im schulischen Literaturunterricht sprechen, den Hannes Hüttner 1989 öffentlich beklagte[48]. Dieser schulische Literaturunterricht

---

[46] ‚Absolut' meint in diesem Zusammenhang, dass die Texte und Deutungsmuster ganz im Gesamtsystem aufgehen sollten.

[47] Hüttner 1989, S. 69.

[48] Vgl. dazu die „Fachliche[n] und methodische[n] Hinweise" für Lehrer, in denen von den „eigenen Erfahrungen, Erlebnisse[n] und Emotionen" der Kinder die Rede ist, die beim Lesen „ins Spiel" kommen und auf die „aktive und schöpferische Seite während der Rezeption" verweisen. Bezeichnend scheint, dass in diesem Zusammenhang sofort darauf hingewiesen wird, dass der Prozess des „Neuschaffen[s]" eines Werks im Unterricht „unter Leitung des Lehrers [erfolgt], der durch seine parteiliche Grundhaltung, seine Haltung zum Werk, die schöpferische Aufnahme eines Kunstwerkes durch jüngere Schüler wesentlich beeinflußt", diese also verwaltet und lenkt. Weiter heißt es: „Die in der künstlerischen Literatur ‚vorliegende Aneignungsweise gestattet es, Muster von Grundüberzeugungen und Werten zu bilden und zu vermitteln, ermöglicht es, Anregungen für das Denken und Impulse für das Verhalten zu formulieren und zu übertragen' [...], in einigen, wenn auch seltenen Fällen sogar zum unmittelbaren Handeln anzuregen (wie das z. B. bei dem Buch *Timur und sein Trupp* nachweisbar der Fall war und ist). Damit gewinnen Kunstwerke, in denen das ‚sinnlich Vorgeführte und vom Leser Mitgeschaffene auf Verhaltensnormen der Arbeiterklasse orientiert' [...], große Bedeutung für die kommunistische Erziehung. Mit solchen Kunstwerken kann und muß auch in den unteren Klassen ein wichtiger Beitrag zur Ausprägung weltanschaulicher, moralischer und ethischer Wertvorstellungen der Arbeiterklasse bei den Schülern geleistet werden." (Leseunterricht 1981, S. 81f.).

orientierte sich an einem relativ festen Kanon, der sowohl „klassische" als auch „sozialistische" Literatur umfasste und sowohl in die große Tradition einbetten als auch den Wandel hin zum realen Sozialismus beschwören sollte. Im Vordergrund der Auseinandersetzung sollte dabei die ‚realistische', die weltanschaulich-politische Seite von Literatur stehen[49], als deren Ziel die Vermittlung eines optimistischen, humanistischen, sozialistischen Welt-, Geschichts- und Menschenbildes erscheint[50]. Das aber bedeutet, dass verschiedene Texte lediglich als Beispiele für immer gleiche Deutungen und Deutungsmuster benutzt werden sollten, um somit eine bestimmte „Sinnerfassung"[51] und Sinnpflege durchzusetzen[52] (bzw. die Entdeckung der großen Bandbreite individueller Bedeutungszuweisungen zu verhindern), um partei-

---

[49] Vgl. z. B. die Ausführungen zu Hölderlins Lyrik in einem Band, der 1963 in der Reihe „Bibliothek des Lehrers" erschien: „‚Harmonie' – damit ist das Stichwort gegeben, der Schlüssel, mit dem wir uns den Zugang zu Hölderlins Lyrik verschaffen können. Seiner Kunst ist eine vollendete Ausgewogenheit zu eigen, die auf der künstlerischen Bewältigung des gesellschaftlichen Widerspruchs von revolutionärem Ideal und bürgerlicher Misere beruht. Johannes R. Becher zeigt, was diese Harmonie im Werke Hölderlins letztlich bedeutet: ‚Es wäre abwegig, dieses Gesetz der Harmonie in einem formalen Sinne nur als ästhetisch zu betrachten: das Ästhetische bei Hölderlin ist zugleich immer auch ein Ästhetisch-Menschliches, das heißt, das vollendete Gedicht ist eine Widerspiegelung der Vollendung des Menschen, wenn vielleicht auch eine utopische Widerspiegelung aus einer künftigen vollenden Menschengemeinschaft her.' [...] Wie sich bei jedem bedeutenden Kunstwerk nach Goethes Meinung hinter dem ersten, wortwörtlichen Sinn noch ein tieferer Sinn verbirgt, so spricht auch aus Hölderlins Strophen nicht nur die Sehnsucht nach dichterischer Vollendung [...]: Die Forderung nach einem Leben, in dem die Dichtung diese menschenformende Funktion erfüllen kann, in dem sie überhaupt erst ihren wahren Sinn erhält und gesellschaftliche Wirklichkeit wird." (Erläuterungen zur deutschen Literatur 1963, S. 36, 38).

[50] Vgl. z. B. ebda.: „Die Darstellung des Lebens und die Behandlung der Werke der großen Dichter und Schriftsteller unserer Nationalliteratur sind ein wichtiger Beitrag für die deutschkundliche Bildung als auch für die humanistische und sozialistische Erziehung unserer Jugend, unseres Volkes. Die Geisteswelt des 18. Jahrhunderts, entstanden in schweren Kämpfen und Auseinandersetzungen mit der ideologischen und politischen Reaktion, ist Ausgang und Grundlage für die Entwicklung der neueren Literatur, Philosophie und Ökonomie geworden." (ebda., S. 5).

[51] „Lesen dient [...] immer einer Sinnerfassung" (Leseunterricht 1981, S. 17). Das Aufzeigen des „spezifischen Abbildcharakters der Literatur" stand im Mittelpunkt des schulischen Lese- und Literaturunterrichts, vgl. das erklärte Ziel, dass der Schüler „unter Leitung des Lehrers schrittweise mit den Besonderheiten künstlerischer Gestaltung der Wirklichkeit, mit dem spezifischen Abbildcharakter der Literatur vertraut gemacht wird." (ebda., S. 83).

[52] Vgl. z. B. den in der Reihe „Bibliothek des Lehrers" erschienenen Band, in dem es einleitend zu Hölderlins Lyrik heißt: „Der Zugang zu Hölderlins Lyrik ist nicht leicht. [...] Besonders der junge Mensch bedarf deshalb im Umgang mit Hölderlins Werk der Geduld. Er muß sich selbst und dem Dichter vertrauen, daß ein lebenslanger Umgang zur Klarheit und zum wahren Erwerb des Besitzes führen wird. [...] Hölderlins Jugenddichtung [...] ist nur Vorstufe. Sein Spätwerk aber sollte hier gleichfalls außer Betracht bleiben und vor allem unserer Jugend nicht das Bild des großen vaterländischen Dichters trüben." (ebda., S. 36). Das Aufkommen von Widersprüchen im Hinblick auf Deutungsmuster sollte also offenbar so weit wie möglich verhindert werden.

liches Denken zu trainieren und langfristig spezifische literarische Bedürfnisse zu wecken[53]. Wenn auch nur vereinzelt, so hat es doch Stimmen gegeben, die öffentlich Kritik an der Praxis dieses Lese- und Literaturunterrichts geübt haben:

> Über Buchinformationen, Literaturwandzeitungen, Lektürelisten, Buchempfehlungen, Vorstellen von Lieblingsbüchern, Buchdiskussionen, Schriftstellerlesungen und Leserkonferenzen könnte Einfluß auf die Buchwahl genommen werden. Dies geschieht in der Praxis des Unterrichts zu selten. Der hedonistischen Seite der Literatur, ihrer anregenden, kreativen und beflügelnden Wirkung wird kaum Raum eingeräumt. Zu ausschließlich wird Literatur in der Schule unter historischem und ideologischem Aspekt vermittelt und auf eine Erkenntnisfunktion beschränkt. Es gibt wenig Freiraum für die individuelle Interpretation literarischer Texte durch die Schüler. [...] Unterrichtslesen und Freizeitlektüre sind voneinander getrennte Prozesse.[54]

Das Ziel der kollektiven, auf den Abbildcharakter von Literatur konzentrierten und einseitig programmatisch ausgerichteten Schullektüre hat aus Sicht der Mächtigen im Staat wohl darin bestanden, die Leserschaft zu homogenisieren und sich selbst dadurch langfristig eine Diskurskontrolle zu ermöglichen. Verständlicherweise beobachtete man daher sowohl den Verlauf öffentlicher Literaturdiskussionen wie auch Formen aktiver Privatisierung des Lesens äußerst wachsam. Im Rahmen des Bitterfelder Weges waren in den frühen 60er Jahren öffentliche Literaturdiskussionen initiiert worden, bei denen Leser aufgefordert waren, Stellung zu Texten zu beziehen, die vor der eigentlichen Buchveröffentlichung in Zeitschriften abgedruckt wurden. Durch diese

---

[53] Vgl. z.B. die Zielsetzung im Hinblick auf die „Klassiker"-Pflege, die einem Band aus der Reihe „Bibliothek des Lehrers" voransteht: „So war es vor allem unser Bestreben, den nationalen Ideengehalt und die realistische Gestaltung in diesen Werken herauszuarbeiten." (ebda., S. 6). Um auch außerhalb des schulischen Literaturunterrichts die Einordnung „klassischer" Werke in die sozialistische „Tradition" zu gewährleisten, waren die „Klassiker"-Ausgaben in der Regel mit entsprechenden Vor- oder Nachworten versehen.

[54] Hüttner 1989, S. 69. Entgegen dieser Beobachtung Hüttners legen Umfragen allerdings zumindest für die 70er Jahre nahe, dass die Schullektüre die Freizeitlektüre und das Leseverhalten breiter Bevölkerungsschichten stark beeinflusst hat. Zu den am häufigsten genannten Autoren zählen diesen Umfragen zufolge Bruno Apitz, Nikolai Ostrowski, Hermann Kant, Dieter Noll und Anna Seghers (vgl. Löffler 1989, S. 144ff.). Bernhard Meier macht zu Recht darauf aufmerksam, dass das Phänomen der Unterscheidung zwischen Schullektüre und Freizeitlektüre durch Schüler als Folge des Literaturunterrichts auch im Westen existiert, dennoch spielt er tiefer liegende Unterschiede zwischen Ost und West unzulässig herunter, wenn er in diesem Zusammenhang bemerkt: „Auch hier gibt es also keinerlei Unterschiede zwischen sozialistischen und bürgerlichen [...] Gesellschaftsformationen: allenthalben wird lamentiert über den Dissens schulischer und außerschulischer Lektüre" (Meier 1990, S. 127).

Integration der Leser in den literarischen Produktionsprozess hatte man einerseits bezweckt, auf breiter Basis ein Interesse an Gegenwartsliteratur zu wecken, andererseits, die Qualität der noch unabgeschlossenen Texte im Hinblick auf Literarizität und Ideologie zu verbessern und auf dem „öffentlichen Weg" Zensurmaßnahmen des Kulturapparats ‚zuvorzukommen'. Aufgrund der mangelnden Kontrollierbarkeit der Diskussionen wurde das der Leserschaft zugestandene Mitspracherecht allerdings bald wieder zurückgenommen[55]. Auch der in dieser Zeit unternommene Versuch einer „echten Literaturdiskussion" durch Zeitschriften wie der NDL, die u.a. durch die Einführung von Leserbriefrubriken einen engeren Bezug zum „werktätigen Leser" herzustellen und dadurch ihre „Wirklichkeitsverbundenheit" zu demonstrieren beabsichtigt hatte, schlug sich u.a. aufgrund der Schwierigkeiten, die sich durch systemkritische Lesermeinungen ergaben, nicht dauerhaft im Schriftbild der Zeitschrift nieder[56].

Wegen des Mangels an Kontrollierbarkeit traute man auch dem privat und selbständig geführten Literaturgespräch nicht. Daher standen Literaturzirkel schnell im Verdacht der „staatsfeindlichen Gruppen- oder Plattformbildung" – gedroht wurde entsprechend mit strafrechtlichen Konsequenzen. So verurteilte das Bezirksgericht Karl-Marx-Stadt z.B. einen 27-jährigen Diplomtheologen wegen staatsfeindlicher Hetze zu einer Freiheitsstrafe von zwei Jahren und vier Monaten, weil er einigen seiner Freunde das Buch *1984* von George Orwell geliehen hatte. In der Urteilsbegründung heißt es dazu: „Das Buch ‚1984' soll dazu dienen, den Sozialismus allgemein zu verteufeln und zu verunglimpfen"[57]. Weniger deutlich kommt in dieser Begründung zum Ausdruck, dass in *1984* die totalitärste Form von Zensur beschrieben wird: diejenige, die alle Vergangenheit eliminiert und nur noch die herrschende Gegenwart zulässt. Nicht nur die Produktion und Distribution kritischer Texte also unterlag der Zensur, sondern auch ihre Diffusion. Der Spielraum der Leser wurde durch den Staat nicht nur begrenzt und gesteuert, sondern auch überwacht. Eine solches Vorgehen ist Foucault zufolge das notwendige Produkt einer Disziplinartechnologie, deren Ziel neben der Rückführung der Irrenden auf den richtigen Pfad die Strafe gefährlicher Konsumenten bzw. der Schutz der anderen ist.

---

[55] Zum Verlauf und zur Problematik solcher öffentlichen Literaturdiskussionen: vgl. Barck 1998, S. 316ff.

[56] Vgl. ebda., S. 384ff. Die Einstellung solcher Bemühungen veranlasste Stefan Heym zu der kritischen Bemerkung: „Die Taktik des Verschweigens, die Forderung Bitte nur harmlose Debatten! sind in Wahrheit ein Mittel der Konservativen, ihre Politik des Nichttuns fortzusetzen und ängstlich auf dem Deckel des Topfes hocken zu bleiben, in dem es so unheimlich brodelt" (Heym 1990, S. 109).

[57] Zit. nach Walther 1996, S. 302.

Allen Anstrengungen des Regimes zum Trotz entwickelte sich in der DDR nun eine Lesekultur, die sich insofern alternativ zur institutionalisierten verhielt, als sie sich systemkritischer Literatur zuwandte, insbesondere einer Literatur, die alltägliche Probleme der Bürger thematisierte und diese implizit oder explizit in einen öffentlich-politischen Kontext stellte. Diese Literatur brachte, indem sie Widersprüche zwischen sozialistischer Grundidee und realsozialistischer DDR-Wirklichkeit artikulierte, – so das Empfinden vieler ostdeutscher Schriftsteller und Leser – eine ‚Wahrheit' zur Sprache, die im Alltag unausgesprochen bleiben musste[58]. Sie versorgte ihre Leserschaft darüber hinaus mit inoffiziellen Informationen und bot auf diese Weise Möglichkeiten der privaten und z. B. im Rahmen literarischer Veranstaltungen auch öffentli-

---

[58] „So sprachen wir immer, am wahren Text vorbei. Ich mußte an die zwei, drei Male denken, als der wahre Text mir doch entschlüpft war, weil ich keine Kraft hatte, ihn zurückzuhalten [...]" (Wolf 2001, S. 22). Jahrzehnte zuvor hatte sich Christa Wolf, damals noch Redakteurin der Neuen deutschen Literatur, hinsichtlich der „Legende [...], wonach die Wahrheit zu schreiben verboten sei" kritisch geäußert und darauf verwiesen, dass ‚Pessimistisches' deshalb nicht gedruckt werde, „weil es in manchen Situationen gefährlich ist, die Unwahrheit oder auch nur die halbe Wahrheit zu verbreiten." (vgl. Wolf 1958). Christa Wolf hat ihre Meinung bezüglich der Existenz der einen Wahrheit, die es von Seiten der Schriftsteller zu „verbreiten" gelte, allerdings schon wenig später stark revidiert. Vgl. zum Diskurs der Wahrheit auch die folgenden Aussagen: Elke Mehnert bemerkt zum so genannten Stellvertreter-Prinzip: „Mancher DDR-Autor sah sich in der Tradition des griechischen Schalksnarren und bediente sich seiner Redeweise. Der Gebrauch der Sklavensprache bot eine Möglichkeit, die Wahrheit zu sagen und dabei der Zensur eine Nase zu drehen. Die geheime Botschaft mußte allerdings decodierbar sein für jeden, der über ästhetische Wahrnehmungsfähigkeit verfügte und mit den landesüblichen Konventionen (darunter auch den offiziellen Sprachregelungen) so vertraut war, daß ein nicht ein „Zentralorgan" für das Herz und „die Organe" für ein Synonym von „Innereien" gehalten hat." (Mehnert 1996, S. 264). Dass auch westdeutsche Literaturkritiker dem Glauben anhingen, Literatur in der DDR habe immer die Chance gehabt, Stimme der ‚Wahrheit' zu sein, mag die Kritik an Christa Wolfs Erzählung *Was bleibt* von Ulrich Greiner demonstrieren, zu der Elke Mehnert vermerkt: „Wenn er [Ulrich Greiner] behauptet, vor dem 9.11.1989 „wäre die Publikation dieses Textes eine Sensation gewesen", nun sei die „Veröffentlichung nur noch peinlich", unterstellt er, Christa Wolf gehöre zu jenen, die die Wahrheit gewußt und aus Kalkül verschwiegen hätten. Das ist zumindest partiell anzuzweifeln;" (Mehnert 1996, S. 267). Ernest Wichner übt grundsätzlichere Kritik an den Vorwürfen von westdeutscher Seite, wenn er anlässlich der Äußerungen Frank Schirrmachers zu Christa Wolfs Erzählung feststellt, es gehe dabei „um das verheerende Weiterwirken der Zensur, ihre zerstörerische Wirkung über ihr Ende hinaus." (Wichner 1993, S. 205). Kritisch gegenüber dem Versuch von Autoren, „soviel Wahrheit wie möglich auszusprechen", äußert sich der sowjetische Schriftsteller Viktor Jerofejew, wenn er schreibt: „Die grundlegende Absicht der liberalen Literatur bestand in dem Wunsch, soviel Wahrheit wie möglich auszusprechen, im Widerstand gegen die Zensur, die diese Wahrheit nicht genehmigte. Auf diese Weise übte die Zensur einen formbildenden Einfluß aus: Durch den Kampf mit ihr pervertierte sie die liberale Literatur und impfte ihr den Hang zu penetranten Anspielungen ein, doch die Zensur pervertierte auch die Leser, die jedesmal in Begeisterung verfielen, wenn sie beim Schriftsteller ein verstecktes ‚Nasedrehen' vermuteten. Der Schriftsteller begann, sich aufs ‚Nasedrehen' zu spezialisieren und verlernte das Denken" (Jerofejew 1990, S. 62).

chen Auseinandersetzung mit aktuellen Fragen und Problemen. Die Monopolisierung der öffentlichen Sphäre durch die eine Partei hatte es mit sich gebracht, dass kritische Literatur, wenn sie es schaffte, in die Hände ostdeutscher Leser zu gelangen, so der viel diskutierte Terminus seit Ende der 70er Jahre, auch als Ersatz für eine fehlende politische und publizistische Öffentlichkeit im Sinne einer autonomen Wertsphäre diente. Allerdings sollte der Begriff der Ersatzöffentlichkeit, darauf macht Löffler aufmerksam, nicht zu eng gefasst werden:

> Ein derart öffentliches Forum bot die Literatur freilich nicht, weil die dort verhandelten Themen davon nur einen Teil, und zwar den geringeren, ausmachten. Die literarische Darstellung zielte über das aktuelle hinaus generell auf eine authentische Wahrnehmung von Realität. [...] Die Literatur [...] war nicht subversiv, aber sie bestand auf subjektiver Authentizität und literarischer Autonomie. Damit stellte sie auch die postulierte Übereinstimmung von Individuum und Gesellschaft in Frage. Die Literatur beschwor nicht weiter persönliche Bewährung und Entwicklung, sie beschrieb die Erfahrung von Entfremdung und Identitätssuche. Sie brachte das zur Sprache, was die Leser einsetzen konnten, um ihre Identität zu finden. [...] Sie erfüllte auf diese Weise eine emanzipatorische Funktion.[59]

Indem einem Teil ostdeutscher Literatur diese Funktion immer wieder zugesprochen wurde, ist zugleich, wenn auch unter Protest, bestimmten Aspekten der offiziellen Vorstellung von Literatur und Leserschaft entsprochen worden, denn:

> [G]erade in dieser Erwartungshaltung äußert sich das realsozialistische Funktionsverständnis vom Autor als „Ingenieur der menschlichen Seele", von Berufs wegen zum Praeceptor Germaniae bestellt. Die fortwährende Überschätzung eingreifender Wirkungsmöglichkeiten von Literatur begründet nicht nur den Argwohn der Mächtigen gegenüber der schreibenden Zunft, sondern auch den privilegierten Status der Schreibenden.[60]

---

[59] Löffler 1998, S. 26. Löffler verweist in diesem Zusammenhang auf die Aussage eines Studenten, der, rückblickend auf seine Armeezeit, festgestellt habe: „Andersdenken verbindet sich für mich seitdem mit einer wesentlichen und für mich ganz neuen Möglichkeit von Gesellschaftskritik, der Literatur. Besonders wichtig wurden für mich die Bücher von Christa Wolf, Brigitte Reimann, Maxie Wander, Volker Braun, Franz Fühmann und anderen." (Bernd Lindner/Ralph Grüneberger (Hrsg.), Demonteure. Biographien des Leipziger Herbst, Bielefeld 1992, S. 228). Eine „emanzipatorische Funktion" mögen auch gerade solche Texte ausgeübt haben, in denen es um die Unmöglichkeit der Emanzipation im Staatsgefüge der DDR geht, so z.B. *Flugasche* von Monika Maron, wo es heißt: „Alles, was ich bin, darf ich nicht sein." (Maron 2000, S. 78). Marons Texte konnten allerdings nicht in der DDR erscheinen.

[60] Mehnert 1996, S. 266.

Insofern sind Literatur und Leserschaft den kanonischen Vorgaben der Mächtigen nicht nur ausgesetzt gewesen, sondern haben selbst in und gegen deren Sinn das Gesamtbild der DDR beeinflusst. Ob die kritische ostdeutsche Literatur, insgesamt gesehen, eine stabilisierende oder destabilisierende Wirkung gehabt hat, bleibt offen. Sicher hingegen scheint, dass sie bei vielen Lesern ein Vertrauen in das Buch erzeugt hat, das, wie gezeigt werden soll, auch nach dem Fall der Mauer bestehen blieb.

II. Die Wende und die Folgen: Auf- und Abschwung des Lesens in den neuen Bundesländern

Im Zuge der Wende veränderte sich der Literaturbetrieb der DDR auf radikale Weise. Die Privatisierung der Verlage, des Groß- und Volksbuchhandels sowie die Zunahme von Buchhandlungen, die innerhalb eines Jahres ihr Angebot von etwa 6.500 Titeln pro Jahr auf ca. 60.000 erweiterten, sind nur einige sehr sichtbare Veränderungen[61]. Literatur war nun auf freiem Fuß und keinem Staat mehr etwas schuldig. Für die Autoren brachte die neue Freiheit auch Verluste mit sich[62], die Leser hingegen, die nun Zugang zu der bis dahin schwer zu beziehenden bzw. verbotenen Literatur hatten, sind deutlich auf der Seite der Gewinner anzusiedeln, denn ihr Interesse und ihr Urteil gewannen nun an Bedeutung[63].

Insgesamt sind die Wendejahre durch ein bemerkenswertes Leseverhalten der ehemaligen DDR-Bürger geprägt. Die Zahl der Buchkäufe und Bibliotheksbesuche in Ostdeutschland ist Umfragen der Stiftung Lesen von 1992 zufolge in der Wendezeit als geradezu spektakulär zu bezeichnen[64]. Im Vergleich zum Westen ist der Stellenwert der Buchlektüre in dieser Zeit im Osten

---

[61] Vgl. zu Emmerich 2000, S. 438ff.

[62] Vgl. zur Bandbreite an Fördermaßnahmen für Autoren in der DDR: Emmerich 2000, S. 45f.

[63] Insbesondere bestimmte Titel kritischer ostdeutscher Literatur erreichten einer ARD-ZDF-Studie von 1990 zufolge Verkaufszahlen, die in der Bundesrepublik nur bei Titeln der Gegenwartsliteratur verzeichnet werden, „die durch den schulischen Kanon etabliert worden war[...]. Das ist nachweisbar für Walter Jankas ‚Schwierigkeiten mit der Wahrheit' oder Stefan Heyms ‚Collin', die erst seit November zugänglich waren" (Löffler 1998, S. 27, vgl. darin die Anmerkung 33).

[64] Diesen Umfragen der Stiftung Lesen zufolge lässt sich der Vorsprung hinsichtlich des Käuferanteils in den neuen Bundesländern gegenüber den alten mit 20% beziffern, vgl. Leseverhalten in Deutschland 1993, S. 51. Vergleicht man die Umfragen der Stiftung Lesen von 1992 und 2000 miteinander, so lässt sich feststellen, dass die Zahl der Buchkäufer in den neuen Bundesländern innerhalb dieses Zeitraums von 75% auf 56% gesunken ist. Dieser Rückgang lässt sich anscheinend auf eine „Normalisierung des Leseverhaltens" zurückführen wie auch auf jahreszeitlich bedingte Faktoren (vgl. Löffler 2001, S. 116), nicht

deutlich höher[65], ebenso der Anspruch, der an die Buchlektüre gestellt wird[66]. Nicht nur die Einstellung zum Lesen aber fällt deutlich positiver aus[67], auch der Anteil der lesenden Bevölkerung ist in der Wendezeit in den neuen Bundesländern sehr viel höher als in den alten[68], die Zahl derer, die angeben, seltener als einmal im Monat bzw. nie zum Buch zu greifen, erweist sich als wesentlich niedriger (17% gegenüber 39%)[69].

Zurückführen lässt sich dieses Leseverhalten einerseits auf den großen Nachholbedarf, der durch das Zensursystem der DDR entstanden war[70], andererseits auf die nach der ersten Euphorie als kritischen Ausnahmezustand empfundene historische Situation, die nach Auflösung der staatlichen und wirtschaftlichen Strukturen neuartige Probleme wie das der Arbeitslosigkeit mit sich brachte, 1992 ihren Höhepunkt erreichte und bei vielen Menschen tiefe Verunsicherung bis hin zu existentiellen Krisen auslöste. Dieser Situation begegneten viele mit dem Griff zum Buch, weil sie dort offenbar Möglichkeiten der Orientierung zu finden hofften. Gefragt waren insbesondere Sach-, Fach-, Weiterbildungs- und Ratgeberliteratur[71], aber auch sogenannte Unterhaltungsliteratur, wissenschaftliche und belletristische Literatur[72]. Der vermehrte Griff zum Buch, der von einem ungewöhnlich großen Vertrauen da-

---

hingegen auf einen Rückgang der Zahl der Buchhandlungen. Die Zahl der Buchhandlungen ist nämlich seit 1992 deutlich gestiegen und zwar gerade in Orten mit weniger als 10.000 Einwohnern (vgl. Buch und Buchhandel in Zahlen 1992, S. 17–19; 2000, S. 26f.). Die Zahl der eigentlichen Buchkäufe liegt im Jahr 2000 in den neuen Bundesländern etwas niedriger als in den alten und ist u.a. auf die geringere Kaufkraft im Osten zurückzuführen (vgl. Löffler 2001, S. 116). Die Zahl der Bibliotheksbesucher ist in den neuen Bundesländern zwischen 1992 und 2000 vom 46% auf 30% gesunken, zwar ist, gesamtdeutsch betrachtet, ein deutlicher Rückgang der Nutzung von Bibliotheken zu verzeichnen, der Rückgang in den neuen Bundesländern aber erscheint dramatischer und ist durch die vielen Bibliotheksschließungen in den neuen Bundesländern mitbedingt (vgl. dazu ebda., S. 116).

[65] Vgl. Leseverhalten in Deutschland 1993, S. 17ff.
[66] Vgl. ebda., S. 38f.
[67] Vgl. ebda., S. 19.
[68] Vgl. ebda., S. 33.
[69] Vgl. ebda., S. 11.
[70] Bibliothekare und Buchhändler berichten, so Löffler, dass Leser in der Wendezeit häufig ganz konkrete Buchwünsche geäußert hätten. Sie hätten nach „Unterhaltungsliteratur" (von Konsalik bis Stephen King), nach bestimmten Titeln von DDR-Autoren (insbesondere nach Walter Janka und Stefan Heym), nach bestimmten Titeln und Autoren der westlichen Moderne sowie nach ausgewählten Sachbüchern verlangt. Für die ältere DDR-Generation erscheint die Lektüre der in der DDR vorenthaltenen Literatur bis heute ein nicht befriedigtes Bedürfnis: vgl. Löffler 1998, S. 28.
[71] Erhebungen der Stiftung Lesen zufolge lag die Lektüre dieser Literatur in der Wendezeit weit über dem Westniveau. Gefragt war vor allem Literatur, die Einblick in die Gebiete des Geldes, des Rechts und der Steuern gewährte, außerdem Reiseführer, Handarbeits-, Gesundheits- und Kochbücher sowie Literatur, die Lebenshilfe versprach: vgl. Leseverhalten in Deutschland 1993, S. 12, 34 und 36.
[72] Vgl. ebda., S. 35f.

von zeugt, dass sich Probleme und Krisen mit Hilfe von Literatur bewältigen lassen, kann als „kulturelle Prägung"[73] aus DDR-Zeiten gewertet werden. Und so lässt sich für die Wendezeit feststellen: „Dieses Zusammentreffen von revolutionärer Krise und ausgeprägten literarischen Interessen war durch die spezifische Vorgeschichte einmalig"[74].

Nach 1992 setzt dann Erhebungen der Stiftung Lesen aus dem Jahr 2000 zufolge mit der Gewöhnung an die neuen politischen, gesellschaftlichen und kulturellen Rahmenbedingungen eine statistische „Normalisierung des Leseverhaltens"[75] in den neuen Bundesländern ein. Die signifikanten Unterschiede zwischen ostdeutschem und westdeutschem Leseverhalten weichen zunehmend den Gemeinsamkeiten, dennoch gibt es immer noch charakteristische Unterschiede. Immer noch wird in den neuen Bundesländern etwas mehr gelesen als in den alten, im Bereich der Lesehäufigkeit liegt der ostdeutsche Wert, prozentual gesehen, im Jahr 2000 allerdings nur noch wenig über dem Westniveau. Der Anteil der Ostdeutschen, die 1992 angegeben hatten, täglich zu lesen, ist im Jahr 2000 auf 6% und damit im Vergleich zu den Umfragewerten von 1992 um 75% gesunken[76] (gesamtdeutsch betrachtet, ist die Zahl von 16% auf 6% gefallen). Die Zahl der Nichtleser hat sich hingegen fast verdreifacht und liegt den Umfragen zufolge im Jahr 2000 bei 21%[77] (gesamtdeutsch betrachtet, ist die Zahl von 20% auf 28% gestiegen). Die Zahl derer, die einmal pro Woche lesen, ist von 68% auf 51% gefallen (in den alten Bundesländern von 46% auf 38%; die Differenz, die also 1992 noch bei 22 Prozentpunkten lag, beträgt im Jahr 2000 nur noch 13)[78]. Der im Jahr 2000 für Gesamtdeutschland verzeichnete Rückgang der Lesehäufigkeit in den genannten Kategorien fällt aufgrund der extrem hohen Umfragewerte aus dem Jahr 1992 in den neuen Bundesländern dramatischer aus als in den alten. Damit scheint sich im Zuge der Entwicklung hin zur Informationsgesellschaft auch in den neuen Bundesländern eine Kluft zwischen ,Belesenen' und ,Unbelesenen' bzw. „Leseprofis" und „Leseverlierern"[79] aufzutun.

Zwei Gründe werden in der Auswertung der Umfragen für den Leserückgang in den neuen Bundesländern angeführt: die Unübersichtlichkeit des Buchangebots[80] und die wachsende Bedeutung und Nutzung anderer Frei-

---

73 Vgl. Löffler 2001, S. 115.
74 Löffler 1998, S. 27.
75 Löffler 2001, S. 116.
76 Vgl. ebda., S. 113.
77 Vgl. ebda., S. 113.
78 Franzmann 2001, S. 11f.
79 Ebda., S. 25.
80 Die Informationsflut auf dem Buchmarkt wird auch in den alten Bundesländern zunehmend als das größte Lesehindernis empfunden, dieses Ergebnis wird in der Auswertung der Umfragen der Stiftung Lesen von 2000 als „das spektakulärste Ergebnis" bezeichnet,

zeit- und Unterhaltungsangebote, die zu DDR-Zeiten gar nicht oder nur eingeschränkt existiert hatten und stark reglementiert waren[81]. Zunächst nur bei der älteren Generation noch als solcher vorhanden[82], scheint der Nachholbedarf inzwischen gestillt, die Krisensituation bewältigt.

Trotz des großen Rückgangs im Bereich der Lesehäufigkeit aber wird den Umfragen von 2000 zufolge dem Lesen in den neuen Bundesländern im subjektiven Empfinden eine sehr hohe Bedeutung beigemessen[83]. Bemerkenswert ist ferner, dass jüngere Altersgruppen (bis 29 Jahre) sowie Frauen mehr lesen als zuvor[84]. Zu DDR-Zeiten hatten Frauen, obwohl ihnen wegen der häufigen Doppelbelastung mit Beruf und Haushalt weniger Freizeit zur Verfügung stand, in etwa genauso viel gelesen wie Männer, was mit einem stärker ausgeprägten Interesse der Frauen für Bücher erklärt worden ist[85]. Auch in den Umfragen von 1992 war im Leseverhalten von Frauen und Männern kein Unterschied festgestellt worden, im Jahr 2000 schneiden sie dagegen etwas besser ab als Männer und liegen damit, was die Lesemenge betrifft, mit den Frauen aus den alten Bundesländern gleichauf. Bemerkenswert ist angesichts der allgemein rückläufigen Tendenz im Bereich der Lesehäufigkeit nicht zuletzt, dass in den neuen Bundesländern im Jahr 2000 insgesamt mehr Bücher gelesen wurden als 1992: „Die 79 Prozent der Befragten, die im Jahr 2000 angegeben haben, überhaupt Bücher zu lesen, lesen mehr Bücher als jene 91 Prozent der Befragten, die 1992 angegeben hatten, Bücher zu lesen".[86]

Löffler erklärt das Phänomen damit, dass

> der konjunkturelle Leseaufschwung Anfang der neunziger Jahre […] viele Menschen aus den Kreisen der Wenigleser ergriffen [habe], die nun ausgefallen sind. Die verbliebenen Leser sind beständigere Buchleser. […] Dabei ist zu beobachten, dass die Zahl der durchschnittlich Lesenden zugenom-

---

1992 noch auf Platz 3 im gesamtdeutschen Ranking der Lesehindernisse angesiedelt, ist die unübersichtliche Fülle von Bucherscheinungen im Jahr 2000 auf Platz 1 vorgerückt: vgl. Franzmann 2001, S. 20. Während die Zahl der lieferbaren Bücher 1990 noch 500.000 betrug, lag sie im Jahr 2000 bei 900.000 Titeln: vgl. Buch und Buchhandel in Zahlen 2000, S. 11.

[81] Vgl. Löffler 2001, S. 117. Die Bedeutung der Lektüre belletristischer Literatur nahm Umfragen aus den 70er Jahren zufolge allerdings keine herausragende Stellung ein, als wichtiger wurde das Fernsehen und das Lesen von Tageszeitungen erachtet, vgl. Löffler 1989, S. 121f.

[82] Vgl. Löffler 1998, S. 28. Die Auswertung der Umfragen von 2000 macht für die Generation der über 60-jährigen ein deutliches Mehr an „Extrempositionen" deutlich: Die Zahl der Wenigleser (1 bis 5 Bücher pro Jahr) steigerte sich von 15 auf 44%, die der Vielleser (über 21 Bücher pro Jahr) von 9 auf 18%: vgl. Löffler 2001, S. 119.

[83] Vgl. Löffler 2001, S. 117f.

[84] Vgl. zu beiden Werten ebda., S. 119.

[85] Vgl. Löffler 1989, S. 123.

[86] Löffler 2001, S. 113.

men hat (6 bis 10 Bücher pro Jahr von 27 auf 29 Prozent, 11 bis 20 Bücher von 17 auf 25 Prozent), während die Zahl derer, die wenig lesen, und derer, die viel lesen, zurückgegangen ist. Der Lektüre-Umfang spiegelt einen generell zu beobachtenden Trend wieder: die Stärkung der mittleren Leserschaft.[87]

Zieht man den so genannten Buchleseindex heran[88], so ergibt sich zum gegenwärtigen Zeitpunkt folgendes Gesamtbild: während die Gruppe der Kaumleser in den neuen Bundesländern zwischen 1992 und 2000 deutlich zugenommen hat (von 13,6% auf 20,3%), die Gruppe der Wenigleser deutlich abgenommen hat (von 26,6% auf 16,2%) und die Gruppe der Vielleser leicht verloren hat (von 32,0% auf 28,3%), kann die so genannte mittlere Leserschaft (11–20 Bücher pro Jahr), wie gesagt, ein klares Plus verbuchen (von 27,8% auf 35,3%)[89]. Die Präsenz dieser mittleren Leserschaft hat sich als ein Charakteristikum ostdeutschen Leseverhaltens herauskristallisiert und wird mit der spezifischen literarischen Sozialisation in der DDR erklärt, d.h. mit der großen Bedeutung, die belletristischer Literatur in der DDR von offizieller und privater Seite beigemessen wurde, sowie mit den spezifischen Funktionen, die Literatur im DDR-Alltag erfüllte. Das Hauptinteresse der ostdeutschen Leserschaft hat sich den Umfragen von 2000 mittlerweile allerdings deutlich zum Cluster Fachbuch hin verlagert, das Bücher zu den Gebieten Ausbildung und Beruf umfasst[90]. Knapp ein Viertel der ostdeutschen Leserschaft gibt an, diese Buchgruppe häufig zu nutzen. Der Wert der Nutzungshäufigkeit liegt damit 10% über dem der westdeutschen Leserschaft und ist offenbar Ausdruck der ausgeprägt „instrumentellen"[91] Nutzung des Buches in den neuen Bundesländern[92]. Daneben spielt auch die so genannte Unterhaltungsliteratur eine wichtige Rolle, die in der DDR zwar nicht als „Heftchenliteratur", aber doch in Form z.B. von Sciencefiction, Kriminal- und Abenteuerliteratur existierte und zum Ende der 70er Jahre hin deutlich an Bedeutung gewann[93]. Im direkten Ost-West-Vergleich zeigt die Auswertung der Umfragen von 2000, dass in den neuen Bundesländern die „Unterhaltungsliteratur" gegenüber der klassischen Belletristik leicht

---

[87] Ebda., S. 113.
[88] Der Buchleseindex beinhaltet die Parameter Anzahl der gelesenen Bücher, Lektürefrequenz, Selbsteinschätzung der Leseintensität und Bewertung der Wichtigkeit des Buchlesens in der Freizeit: vgl. dazu ebda., S. 113f.
[89] Vgl. ebda., S. 119.
[90] Es umfasst darüber hinaus Kinder- und Jugendliteratur, vgl. ebda., S. 120.
[91] Vgl. ebda., S. 121.
[92] Vgl. zu weiteren Aspekten der Gewichtung von Präferenzen für Gattungen und Genres in Ost und West ebda., S 120f.
[93] Vgl. Löffler 1989, S. 139 und 152, vgl. zu den Gründen Emmerich 2000, S. 48. Zudem ist vermutlich ein großer Teil der „klassischen" Literatur als „Unterhaltungsliteratur" rezipiert worden.

bevorzugt wird, während es sich in den alten Bundesländern umgekehrt verhält[94]. Aufschlussreich ist dabei, dass die Liste der in den neuen Bundesländern am häufigsten gelesenen Titel aus dem Jahr 1993 nur wenige aktuelle Bestseller enthält, dafür aber viele ehemalige Bestseller, die man auf offiziellem Wege in der DDR nicht hatte beziehen können, die aber von Kampagnen gegen ,Schundliteratur' sowie vom Westen her bekannt waren[95]. Mitte der 90er Jahre sehen sich die gesamtdeutschen und die ostdeutschen Bestsellerlisten[96] dann recht ähnlich, einige Abweichungen aber bleiben. Im Unterschied zu den Bestsellerlisten des *Spiegel* oder *Stern*, die aufgrund der Bevölkerungs- und Buchhandelsverteilung[97] eher Tendenzen im westdeutschen Kaufverhalten aufzeigen, enthalten die ostdeutschen Listen im Belletristik-Bereich Titel von DDR-Autoren bzw. solche, die in irgendeiner Form DDR-Geschichte aufarbeiten[98]. Begründet wird das Interesse an solchen Titeln von Löffler mit dem stark ausgeprägten Bedürfnis ostdeutscher Leser nach einer Auseinandersetzung mit der eigenen Vergangenheit[99]. Vergleicht man im belletristischen Bereich die Jahresbestsellerlisten der 25 meistverkauften Hardcover-Titel aus dem Jahr 2001 miteinander, so lassen sich zwischen der Bestsellerliste von *Das Magazin*[100], die Tendenzen im ostdeutschen Kaufverhalten wiedergibt, und der gesamtdeutschen Bestsellerliste des *Spiegel*[101] allerdings nur noch Unterschiede im Ranking einzelner Titel ausmachen, die auf Unterschiede in Erhebungsverfahren und Erscheinungsformen der herangezogenen Zeitschriften zurückgeführt werden können wie auch auf die Unterschiede der Kaufkraft zwischen neuen und alten Bundesländern, die sich insbesondere auf den Kauf von Hardcover-Ausgaben auswirken[102]. In der Kategorie Sachbuch hingegen weisen die Listen auch für das Jahr 2001 signifikante Unterschiede zwischen dem Kaufver-

---

[94] Vgl. Löffler 2001, S. 120f.

[95] Vgl. Löffler 1998, S. 29. Zusammenfassend heißt es dort: „In diesen Bevorzugungen drücken sich sowohl der Nachholbedarf an Unterhaltungslektüre wie auch die Prägung durch die traditionelle Unterhaltungsliteratur des 19. Jahrhunderts aus."

[96] Zu berücksichtigen ist bei der Betrachtung von Bestsellerlisten, dass diese zwar Tendenzen im Kaufverhalten widerspiegeln, aber keine allgemeinen Schlüsse auf das Leseverhalten einer Bevölkerungsgruppe zulassen.

[97] Vgl. Kahlefendt 2000, S. 31.

[98] Zu diesen zählen u.a. *Der Laden* von Erwin Strittmatter, *Die Stunde der toten Augen* von Harry Thürk, *Medea. Stimmen* von Christa Wolf oder *Helden wie wir* von Thomas Brussig. Vgl. dazu Tabelle 3: Jahresbestseller Ost: Belletristik der Jahre 1994–1996, in denen solche Titel knapp 20% der 10 bestplatzierten Titel ausmachen, in: Löffler 1998, S. 29.

[99] Vgl. Löffler 1998, S. 30.

[100] Zit. nach Wachholz 2002, S. 43–47.

[101] Vgl. www.buchreport.de.

[102] Die deutliche Differenz zwischen Ost und West im Hinblick auf den Buchkauf, die 1992 noch 20 Prozentpunkte betrug, ist im Jahr 2000 auf 9 gefallen. Dieser Rückgang ist nicht zuletzt auf das durchschnittlich niedrigere Nettoeinkommen in den neuen Bundesländern zurückzuführen: vgl. Löffler 2001, S. 116.

halten in den neuen Bundesländern und dem gesamtdeutschen auf. Die Liste der 25 bestplatzierten Titel von *Das Magazin* des Jahres 2001 enthält acht Titel, die in der gesamtdeutschen Bestsellerliste des *Spiegel* auch unter Berücksichtigung der 100 bestplatzierten Titel nicht in Erscheinung treten. Alle acht Titel stellen Formen der Auseinandersetzung mit der DDR dar[103].

Was nun die Gründe betrifft, die für die Buchlektüre genannt werden, so spielen im Osten die Kategorien „Weiterbildung" und „Unterhaltung"[104] eine größere Rolle als im Westen. Während dort die genannten Gründe sowie das Informationsinteresse gleichrangig sind, fällt das Informationsinteresse, d.h. das Interesse an einer „Befriedigung individueller Neigungen" wie auch an größerer „gesellschaftliche[r] Akzeptanz", in der Beurteilung der ostdeutschen Leserschaft zurück[105]. Entscheidender ist für die Bürger der neuen Bundesländer anscheinend auch im Hinblick auf andere Medien[106] der ‚pragmatische' Aspekt, der Unterhaltungswert sowie der Alltags- und Handlungsbezug. Im Hinblick auf die Erwartungen, die von jener Gruppe, die mindestens ein Buch pro Monat liest, an Bücher gestellt werden, dominieren in Ost und West gleichermaßen der „Realitätsbezug"[107], d.h. der Bezug zur eigenen Lebenswirklichkeit der Leserschaft, sowie die „phantasievolle Darstellung"[108]. Deutlich höher bewertet als im Westen hingegen erscheint an dritter Stelle der Aspekt der „Selbstverwirklichung" (die Differenz zwischen Ost und West beträgt hier mehr als 8%)[109]. Löffler spricht in diesem Kontext von einer vergleichsweise „größere[n] Erwartung an die Darstellung menschlicher Probleme in der Literatur"[110] und stellt zusammenfassend fest: „Literatur behält im Osten ihren verpflichtenden sozialen Charakter als Kulturwert"[111]. Auch wenn die belletristische Literatur ihre zentral gesellschaftspolitische Bedeu-

---

[103] Diese acht Titel sind: Werner Großmann: *Bonn im Blick. Die DDR aus der Sicht ihres letzten Chefs*, Sabine Zurmühl: *Das Leben, dieser Augenblick. Die Biografie der Maxi Wander*, Werner Eberlein: *Geboren am 9. November. Erinnerungen*, Gregor Gysi: *Neue Gespräche über Gott*, Täve Schur: *Autobiografie*, Peter Ensikat: *Was ich noch vergessen wollte*, Siegfried Wenzel: *Was war die DDR wert? Und wo ist dieser Wert geblieben?*, Wolfgang Welsch: *Ich war Staatsfeind Nr. 1. Als Fluchthelfer auf der Todesliste der Stasi*.

[104] Unter dem Begriff der Unterhaltung wurde bei der Auswertung der Umfragen der Stiftung Lesen „im weitesten Sinne ästhetische[r] Genuss" gefasst: vgl. Löffler 2001, S. 122.

[105] Vgl. Löffler 2001, S. 121f.

[106] Vgl. hinsichtlich des Fernsehverhaltens Frey-Vor 2002, S. 70–76.

[107] Dieser Begriff umfasst die Aspekte: „realistisch, faktenreich und wirklichkeitsgetreu, aktuelle Probleme aufgreifend; Lernen ermöglichend; zum Denken anregend; fremde Kulturen und Zeiten zeigend": vgl. Löffler 2001, S. 122f.

[108] Ebda.

[109] Vgl. ebda., S. 123. Unter dem Begriff der „Selbstverwirklichung" sind „Liebes- und Beziehungsprobleme; Lebensprobleme […]; Erotik" (ebda.) gefasst worden.

[110] Vgl. Löffler 2001, S. 123.

[111] Löffler 2001, S. 122.

tung und Funktion längst eingebüßt hat, erscheint die Prägung, die in DDR-Zeiten von ihr ausging, damit nachhaltiger als von vielen angenommen.

LITERATURVERZEICHNIS

Assmann, Aleida und Jan: Kanon und Zensur. In: Kanon und Zensur. Beiträge zur Archäologie der literarischen Kommunikation II. München 1987, S. 7–27

Barck, Simone u.a.: „Jedes Buch ein Abenteuer". Zensur-System und literarische Öffentlichkeiten in der DDR bis Ende der sechziger Jahre. Berlin 1998

Börsenverein des Deutschen Buchhandels (Hg.): Buch und Buchhandel in Zahlen, Ausg. 1992 und 2000.

Braun, Volker: Hinze-Kunze-Roman. o. O. 1988

Ducland, Jutta: Verlage und Buchhandel in der DDR. In: Buch – Lektüre – Leser. Erkundungen zum Lesen. Hrsg. von Helmut Göhler u.a. Berlin / Weimar 1989, S. 26–35

Emmerich, Wolfgang: Die Literatur der DDR. In: Deutsche Literaturgeschichte. Von den Anfängen bis zur Gegenwart. Hrsg. von Wolfgang Beutin u.a. 6. Aufl. Stuttgart / Weimar 2001, S. 511–579

Emmerich, Wolfgang: Kleine Literaturgeschichte der DDR. Berlin 2000

Erläuterungen zur deutschen Literatur. Zwischen Klassik und Romantik. Hrsg. von einem Kollektiv für Literaturgeschichte. Berlin 1963

Franzmann, Bodo: Die Deutschen als Leser und Nichtleser. Ein Überblick. In: Leseverhalten in Deutschland im neuen Jahrtausend. Eine Studie der Stiftung Lesen. Hrsg. von der Stiftung Lesen u. dem Spiegel-Verlag. Hamburg / Mainz 2001, S. 7–31

Frey-Vor, Gerlinde u.a.: Informationsnutzung von Ost- und Westdeutschen: Erwartungen und Einstellungen. Mehr Unterschiede als Annäherung. In: Media Perspektiven 2/2002, S. 70–76

Groys, Boris: Gesamtkunstwerk Stalin. Die gespaltene Kultur in der Sowjetunion. München 1988

Heym, Stefan: Stalin verläßt den Raum. In: Politische Publizistik. Leipzig 1990

Hüttner, Hannes: Lesen im Kindesalter. In: Buch – Lektüre – Leser. Erkundungen zum Lesen. Hrsg. von Helmut Göhler u.a. Weimar / Berlin 1989, S. 50–76

Jäger, Andrea: Schriftsteller-Identität und Zensur. In: Text und Kritik. Sonderband Literatur in der DDR. München 1991, S. 137–148

Jäger, Manfred: Das Wechselspiel von Selbstzensur und Literaturlenkung in der DDR. In: Wichner / Wiesner, S. 18–49

Jerofejew, Viktor: Kopfbahnhof Almanach 2: Das falsche Dasein. Sowjetische Kultur im Umbruch. Leipzig 1990, S. 52–65

Kahlefendt, Nils: Abschied vom Leseland? Die ostdeutsche Buchhandels- und Verlagslandschaft zwischen Ab- und Aufbruch. In: Aus Politik und Zeitgeschichte. Beilage zur Wochenzeitung Das Parlament B 13/2000, S. 29–38

Langermann, Martina: Kanonisierungen in der DDR. Der Sozialistische Realismus. In: Kanon Macht Kultur. Theoretische, historische und soziale Aspekte ästhetischer Kanonbildungen. Hrsg. von Renate von Heydebrand. Stuttgart 1998, S. 540–559

Lehmann, Rainer H. u.a.: Leseverständnis und Lesegewohnheiten deutscher Schüler und Schülerinnen. Weinheim / Basel 1995

Leseunterricht. Fachliche und methodische Hinweise für die Unterstufe und für Klasse 4. Hrsg. von einem Autorenkollektiv unter der Leitung von Anneliese Lucke-Gruse. Berlin 1981

Leseverhalten in Deutschland 1992/1993. Repräsentativstudie zum Lese- und Medienverhalten der erwachsenen Bevölkerung im vereinigten Deutschland. Zusammenfassung der Ergebnisse. Hrsg. von der Stiftung Lesen. Mainz 1993

Lindner, Bernd: Brüche und Kontinuitäten – Leseverhalten Jugendlicher in den neuen Bundesländern. In: SPIEL. Siegener Periodikum zur Internationalen Empirischen Literaturwissenschaft 10 (1991), H. 2, S. 262–282

Lindner, Bernd / Grüneberger, Ralph (Hgg.): Demonteure. Biographien des Leipziger Herbst. Bielefeld 1992

Loest, Erich: Der Zorn des Schafes. München 1993

Löffler, Dietrich: Lektüren im „Leseland" vor und nach der Wende. In: Aus Politik und Zeitgeschichte. Beilage zur Wochenzeitung Das Parlament B 13/1998, 20. März 1998, S. 20–30

Löffler, Dietrich: Leseverhalten Erwachsener. In: Buch – Lektüre – Leser. Erkundungen zum Lesen. Hrsg. von Helmut Göhler u.a. Berlin / Weimar 1989, S. 116–155

Löffler, Dietrich: Normalisierung und Kontinuität. Entwicklung des Leseverhaltens in den neuen Bundesländern. In: Leseverhalten in Deutschland im neuen Jahrtausend. Eine Studie der Stiftung Lesen. Hrsg. von der Stiftung Lesen u. dem Spiegel-Verlag. Hamburg / Mainz 2001, S. 111–125

Maron, Monika: Flugasche. 15. Aufl. Frankfurt a. M. 2000

Mehnert, Elke: „Äsopische Schreibweise bei Autoren der DDR". In: Zensur und Selbstzensur in der Literatur. Hrsg. von Peter Brockmeier u. Gerhard R. Kaiser. Würzburg 1996, S. 263–273

Meier, Bernhard: Lesen, Leser und Leseforschung in der DDR. In: Lesen im internationalen Vergleich. Teil I. Hrsg. von der Stiftung Lesen. Mainz 1990, S. 121–146

Müller-Michaels, Harro: Deutschunterricht. In: Vergleich von Bildung und Erziehung in der Bundesrepublik Deutschland und in der Deutschen Demokratischen Republik. Hrsg. vom Bundesministerium für innerdeutsche Beziehungen. Köln 1990

Wachholz, Anke-Kristin: Der ostdeutsche Leser. Leseverhalten in den neuen Bundesländern. Unveröffentlichte Diplomarbeit. Berlin 2002

Walther, Joachim: Sicherungsbereich Literatur. Schriftsteller und Staatssicherheit in der Deutschen Demokratischen Republik. Berlin 1996

Wichner, Ernest / Wiesner, Herbert (Hgg.): „Literaturentwicklungsprozesse". Die Zensur der Literatur in der DDR. Frankfurt a. M. 1993

Wichner, Ernest: „Und unverständlich wird mein ganzer Text". Anmerkungen zu einer zensurgesteuerten ‚Nationalliteratur'. In: Wichner / Wiesner, S. 199–216

Wiesner, Herbert: Zensiert – gefördert – verhindert – genehmigt. Oder wie legt man Literatur auf Eis? In: Wichner / Wiesner, S. 7–17

Wiesner, Herbert: Zensur in der DDR. Geschichte, Praxis und ‚Ästhetik' der Behinderung von Literatur. Berlin 1991

Wolf, Christa: Kann man eigentlich über alles schreiben? In: Neue deutsche Literatur 6 (1958), S. 3ff.

Wolf, Christa: Was bleibt. Erzählung. München 2001

Walter Grond

KEIN DENKVERBOT, KEIN SPIELVERBOT. ÜBER DEN ANGEBLICHEN VERFALL DES LESENS

Seit einiger Zeit erlebt die Behauptung, das Lesen sei gefährlich und erzeuge widerständige Menschen, eine bemerkenswerte Konjunktur. Nicht etwa von Literatur in Diktaturen ist dabei die Rede. Auch nicht von Büchern, die aus religiösen Motiven verboten oder aus politischen tabuisiert werden. Und auch nicht von Avantgarde-Texten, die sich gegen kulturelle Mittelmäßigkeit auflehnen. Jene Kunde von der Gefährlichkeit des Lesens, wie sie neuerdings zu vernehmen ist, stammt aus der Feder erfolgreicher Autoren und zielt auf eine Verteidigung der Bücherwelt gegenüber der herrschenden Computerkultur.

Martin Suter spricht von der Gegenwelt der Literatur, die den Leser zum kritischen Geist werden ließe. Elke Heidenreich von der unterwandernden Wirkung des Lesens, das Lebensumstände in Frage stelle. Jonathan Franzen von der bleibenden Substanz, die das Buch, nicht aber der Computer dem Menschen bieten könne. Stets ist es eine einzigartige Aura, die den Lesenden umgibt; Heidenreich spricht gar von einer besondere Begabung, die man brauche, um zum rechten Lesen zu gelangen.

Wenn Suter den Leser als Widerspruchsgeist, Heidenreich ihn als Aufständischen und Franzen ihn als produktiven Einzelgänger beschreibt, schaffen sie sich ein exquisites Selbstbild. Wer wollte Marcel Proust widersprechen, der vom Leser sagt, dass er, wenn er liest, in Wirklichkeit sich selbst liest? Und welcher Leser hatte sich noch nie allumfassende Rettung erhofft? Leser sind bei sich, lautet die Botschaft, während Nichtleser von Dingen, vor allem Maschinen, mehr und mehr überwältigt werden. Der Leser erscheint als widerstandsfähig gegen die totalitäre Unterhaltungs- und Kriegstechnologie, gegen Mediendemokratie und Versachlichung. Heidenreich verkündet: „Wer nicht liest, ist doof"[1]. Franzen beschwört die apokalyptischen Reiter des Krieges, gegen die immun nur die Lesergemeinde ist, die im zerbrochenen Tintenfass

---

[1] Heidenreich 1998, S. 1.

noch Verdammnis und Erlösung auszumachen in der Lage ist. In solcher Bildungsgeste mag sich der Leser als intelligenter Zeitgenosse deuten, ohne hinterfragen zu müssen, was er eigentlich liest. Und dass der Individualismus, der dem Leser in solchen Apologien einer Kulturtechnik als Lohn seiner Leiden und Leidenschaften versprochen wird, ohnehin die kapitalistische Idealfigur darstellt, wird nicht erwähnt.

Die Kunde, dass nur wer liest, ein rechter Mensch sei, verkehrt die Befürchtungen, die im ausgehenden Mittelalter mit der Erfindung des Buchdrucks verbunden waren. Mit Büchern würden sich, so die Angst damals, Menschen von ihrer Umwelt isolieren und für die Gemeinschaft verloren gehen. Die Hochsprache würde verfallen, das Wissen in alle Winde verstreut werden. Ein kulturpessimistisches Szenario begleitete die Entwicklung des Buches, wie es die Kunde von der Gefährlichkeit des Lesens heute ins Positive wendet: Das stille Lesen ist nicht mehr die Gefahr, sondern Rettung in höchster Not vor der Flachheit und Gefühllosigkeit der Computer-Generationen. Für Franzen sind Schriftsteller und Leser vereint in ihrem Streben nach Substanz angesichts zunehmender Auflösung, in ihrer Innenwendung, die einen Ausweg aus der Vereinsamung öffne. Dafür verantwortlich sei die Vermittlung durch das gedruckte Wort. Und um eine „ewige Liebesgeschichte" zwischen Buch und Leser zu konstruieren, wie es Heidenreich tut, darf denn auch das Lesen nicht nur Lustversprechen, sondern muss auch Drohung sein: Wer es nicht ausübt, soll gar zur Lust nicht fähig sein.

Ohne Zweifel ist die Geschichte der Aufklärung auch eine des Lesens. Freilich sind die enzyklopädischen, romantischen, freigeistigen und revolutionären Bewegungen seit dem achtzehnten Jahrhundert mit dem Lesen verbunden. Keineswegs zu vergessen ist die lehrreiche Genese hin zum mündigen Leser, der in der Moderne schließlich zum Mit-Autor wurde. Aber ebenso zweifelsohne ist die Geschichte des massenweisen Lesens auch eine ihres demagogischen Missbrauchs. Des diktatorischen Erfolgs, der Verblendung, der Unterdrückung. Wer diese Zwiespältigkeit der mit dem Buchdruck verbundenen Kulturtechniken unterschlägt, verschweigt, dass das Heilsversprechen ,Lesen' das einer Massenware ist. Die Geschichte des neuzeitlichen Lesens ist auch eine des Kapitalismus.

Autoren ähneln in dieser Hinsicht weniger Künstlern als Designern. Sie stellen Modelle für die Massenware ,Buch' und eben nicht Unikate her. Seit Erfindung des Buchdrucks begleitet unauflöslich ein Widerspruch das Geschichtenerzählen – es handelt von Individuation und ist doch Glied in einer Kette industrieller und medialer Wissensproduktion.

Warum gegen Träumereien über das Lesen argumentieren? Weiß es sich nicht von multimedialer Konkurrenz bedrängt genug, als dass nicht jeder Büchermensch es überschwenglich verteidigen müsste? Und kann es nicht tatsächlich als so belebend wie das Atmen wahrgenommen werden? Kann es nicht ebenso Konflikt und Auseinandersetzung bedeuten? Kann sich nicht in Büchern eine andere Realität zeigen als die in der wirklichen Erlittenen? Kann der Leser nicht ganz und gar eine so symbiotische Beziehung zur Literatur entwickeln, dass er sein Leben inmitten von Büchern beenden will? Haben also jene von Heidenreich zitierten Autoren Alberto Manguel, Peter Weiss und Jean Paul Sartre nicht alles andere als unrecht, wenn sie sich hingebungsvoll übers Lesen äußern?

Nicht die Hingabe ist problematisch. Dass indes die Formel vom guten Büchermenschen auf die Verächtlichmachung einer neuen Kulturtechnik hinausläuft, sehr wohl. Jonathan Franzen spricht es in seinem Essay „Vielleicht auch träumen"[2] freimütig aus. Franzen schildert, wie er in den siebziger Jahren an einer amerikanischen Universität in bibliothekarisch gebildeter Umgebung literarisch aufwuchs; von Karl Marx beeindruckt ein linksliberaler Intellektueller wurde; mit seinen Romanen zu medialem Erfolg gelangte; und in den neunziger Jahren in Depressionen verfiel, weil der sozialkritische Roman seine gesellschaftliche Wirkung verloren habe und er, Franzen, als „Verfechter des gedruckten Wortes" heute zu einer fast ausgestorbenen Gattung gehöre.

Mit seiner Kritik an der uniformierten Fernsehgesellschaft verknüpft Franzen seine Verzweiflung als Romanschriftsteller, das Private und das Soziale nicht mehr verbinden zu können. Da der kulturkritische Roman nicht mehr in die (Medien)kultur eingreifen, den Mainstream also nicht mehr beeinflussen könne, sei der urbane Kern der anspruchsvollen Literatur an sein bitteres Ende gelangt. Geld und Medienrummel einerseits, Multikulturalismus und Technikkonsum andererseits hätten dazu geführt, dass Schriftsteller heute immer mehr zu sagen, die Leser indes immer weniger Zeit zum Lesen hätten. Als Verursacher des kulturellen Elends macht Franzen die Welt des Monopolkapitalismus aus. Er beklagt die soziale Verelendung – Vereinzelung, Infantilisierung, Niedergang des menschlichen Miteinanders. Er analysiert die Verwissenschaftlichung der Welt, wie sie in Gestalt der Technologie die Nachfrage nach Literatur und auch den sozialen Kontext verändert, in dem Literatur gedeiht.

Auf sehr beeindruckende Weise ringt Jonathan Franzen um einen Begriff des Schreibens, der sich der jahrtausendalten Tradition der Dichtung bewusst ist und doch gegenwärtig sein will. Lotet aus, wie wenig produktiv ein therapeutisches Modell des Schreibens ist, und wie auch die Vorstellung, die Literatur folge einer höheren Ordnung, nicht aus dem Dilemma der Marginalisie-

---

[2] Der Text erschien 1996 im *Harper's Magazine* und wurde im Sommer 2002 von der Zeitschrift *Literaturen* als „Essay über das Elend der Gegenwartsliteratur" auf deutsch veröffentlicht.

rung heraushilft. Er gelangt zur Einsicht, das Selbstmitleid des Autors am Ende des zwanzigsten Jahrhunderts sei lächerlich, gemessen am Schicksal von Autoren im neunzehnten Jahrhundert. Und schließt sich am Ende wohltuend Don de Lillos pragmatischer Formel an, der Roman sei schlicht und einfach das, was Romanciers zu einer bestimmten Zeit schreiben. Ein Ende nicht abzusehen.

Franzens trotzigem Entwurf eines erneuten sozialkritischen Romans ist zuzustimmen. Erhellend sind die Passagen des Essays, da er seine Begegnung mit der Anthropologin und Linguistin Shirley Brice Heath schildert. Auf Flughäfen, in Buchhandlungen und in Seebädern, in Schreibkursen und bei Sommertreffen von Schriftstellern sammelte Heath das Material für eine Soziologie des Lesens. Sie zerstörte, so Franzen, den Mythos vom allgemeinen Publikum. Damit sich Menschen für Literatur erwärmen, müssten zwei Bedingungen gegeben sein: Die Gewohnheit, anspruchsvolle Bücher zu lesen, müsste schon in der Kindheit stark vorgeprägt sein (ein oder beide Elternteile Leser sein), und junge Leser bräuchten Freunde, die ihr Interesse teilen. Menschen, die von ihrem vorgezeichneten Weg abweichen, würden potentiell empfänglich für Literatur sein. Fast alle Leser würden die Hoffnung nennen, die Bücher ihnen bieten, die Unvorsehbarkeit, auch die Mehrdeutigkeit von Sprache. Zu Büchern zu greifen, habe für viele den Wunsch nach Vermeidung von Einsamkeit zum Hintergrund.

Ein brillant geschriebener Essay, klug strukturiert, eine fundierte Kulturkritik, und eben doch nur solange um Genauigkeit bemüht, solange es um die eigene kulturelle Sozialisation, und schlagartig demagogisch, wenn es um die Abwehr der ‚Cybergeneration' geht. Über Nerds, technoide junge Menschen, schreibt Franzen nicht nur verächtlich, sondern mit der selben halbgebildeten Arroganz, die er der Fernsehwelt vorwirft. Er vermerkt seinen besonderen Stolz, da er gewärtig wird, dass Computerkids die Tiefe und Substanz der Welt nicht erkennen könnten. Computerkids würden sich in Fakten, Zahlen und Technik vergraben; würden die sozialen Verbindungen nicht wie Leser in eine andere Welt verlegen, sondern sie abschneiden und veröden lassen. Nerds seien Partytrottel und hätten Mundgeruch. Zu beidem sei der Leser, als Kind auch einst Einzelgänger, nicht verurteilt. Die Welt ist am Ende, so die Botschaft, das letzte Glück, zu den Büchermenschen zu gehören, die sich des Weltendes bewusst sind.

Gegen jenen Pathos der Ausschließlichkeit ist einzuwenden, dass sich dahinter ein Kulturpessimismus verbirgt, der eine vernünftige Untersuchung unserer gegenwärtigen Kultur verhindert. Und gegen jenen jüngsten Kulturpessimismus, wie ihn Franzen beispielhaft verkörpert, ist einzuwenden, dass sich dahinter die Widersprüchlichkeit einer Generation verbirgt, die 1968 mit ihrer Forderung nach weniger Staat zum (Mit-)Wegbereiter des neoliberalen, entgrenzten Kapitalismus wurde. Das von dieser Generation proklamierte Ende der Politik läuft parallel mit militanten Selbstbehauptungen im kulturellen Feld. Die vermeintlichen Retter der literarischen Bildungswelt messen nicht zufällig mit zweierlei Maß. Ihrer Geste radikaler Kulturkritik gesellt sich so selbstverständlich die Begeisterung für die eigenen Machtpositionen und Verkaufszahlen bei wie ihre demagogische Verurteilung der technoiden Generationen.

Jenes Szenario kennt beinahe jeder Germanistikstudent: Ein weißhaariger Mann betritt einen Vorlesungssaal, er ist Literaturprofessor und hält seine adretten Studenten für Analphabeten. In der Regel ist sein Ekel aggressiv – da unten sitzen junge Leute, die Thomas Mann-Schachtelsätze nicht mehr laut vorlesen können. Er selbst ist nicht in der Lage, sich die Situation aus anderer Perspektive vorzustellen: Ein weißhaariger Mann betritt den Vorlesungssaal, er ist Literaturprofessor und in den Augen seiner Studenten medieninkompetent. Er bezieht ein hohes Gehalt und kann nicht sieben Fenster auf einem Bildschirm gleichzeitig öffnen und in wenigen Sekunden alle Bilder und Zeichen zu Informationen synthetisieren.

Eine Art verkehrtes Ödipusdrama, da doch die Väter ihre Söhne aus dem Weg zu räumen suchen. Was mit der jüngsten Kunde von der Gefährlichkeit des Lesens mitschwingt, ist ein Denk- und Spielverbot für das Neue. Vor dem Hintergrund des globalen Kapitalismus, der jegliche Kulturtechnik auf materielle Effizienz hin reduziert, weist das literarische Feld alle hybriden Horizonte von sich und schwingt sich zum Hüter beständiger Werte auf. Der kapitalistischen Logik entkommt es damit ebenso wenig wie die gescholtenen Cybervisionäre: Geistige Rückwärtsgewandtheit und technischer Futurismus sind darin untrennbar aneinander gebunden. Was heute auf dem kulturellen Feld ausgefochten wird, ist nicht metaphysischer Art, sondern schlichter Konkurrenzkampf. Die kapitalistische Arena ist für Büchermenschen wie für Nerds unbeherrschbar; indes bewegen sich in dieser Arena Büchermenschen wie Nerds, die alternative Modelle geistigen und sozialen Lebens denken und probieren. Für die einen wie für die anderen gilt das Recht auf Träume. Für die einen wie für die anderen existiert ein idealtypischer Leser.

In Zürich forschen einige Pioniere, die nach einer Verbindung der neuen mit den alten Lesewelten suchen. Auf der Website „Interaktive Kinder- und Jugendmedien"[3] ist eine Grafik von Hiroyuki Tatsuno zu sehen. Eine Heidi nach japanischer Comic-Fasson sitzt an einem hellblauen iMac, tippt am Computerkeyboard und lächelt. Das Projekt (von Verena Rutschmann geleitet, von Michael Böhler betreut) ist ein offen konzipierter Forschungsbereich des Schweizerischen Instituts für Kinder- und Jugendmedien (in Zusammenar-

---

[3] <http://www.ds.unizh.ch/kjmedien/>.

beit mit dem Deutschen Seminar der Universität Zürich) und begleitet derzeit zwei Dissertationen ‚in progress': Mela Kochers *Ästhetik von Computerspielen – Pikachu goes Literature* und Judith Mathezs *Internetliteratur für Kinder und Jugendliche.*

Gerade die digitalen Medienangebote für Kinder kennzeichnen sich durch intermediale Durchmischung, sie kombinieren Texte, interaktives Spiel, Bild und Ton. Ein solches Feld auf Erzählstrukturen hin zu untersuchen, erfordert interdisziplinäre Forschung. So versammelte denn auch ein Workshop des Schweizerischen Instituts für Kinder- und Jugendmedien am Deutschen Seminar im November 2001[4] neben Germanisten und Literaturwissenschaftlern auch Computerspezialisten, Medienpädagogen, Filmwissenschaftler, Psychologen, Kulturwissenschaftler und Hyperfiction-Autoren. Die beiden jungen Forscherinnen Kocher und Mathez räumen ein, dass angesichts der neuen narrativen Gegenstände ziemliche Ratlosigkeit herrsche, man die Zeitstrukturen dieser digitalen Gebilde zwar mit herkömmlichen Theorien gut beschreiben könne, ihr Raum (dessen Strukturen) sich aber schwer greifen ließe und noch weitgehend unergründet sei. Das Bild, die grafische Oberfläche, die Programmiersprache, das seien schwer fassbare Elemente an Computerspielen.

Mela Kocher schloss ihr Diplom der deutschen Literatur, Geschichte und Informatik im Jahr 2000 bei Michael Böhler ab. Durch Böhlers erstes Internetseminar 1997 stieß sie auf jenes neue literarische Feld, besuchte wie Judith Mathez das Symposion in Romainmortier und half mit, das daraus hervorgegangene Buch *Hyperfiction*[5] vorzubereiten. Sie lebt und liebt Populärkultur, liest Kioskromane, Krimis, Historienschinken und Science Fiction. Geht gern ins Kino und spielt die Spiele auf dem Gameboy, die sie untersucht, selbst leidenschaftlich gern. Auf die Frage, warum sie Pokémon spiele *und* Goethe lese, antwortet sie, weil beides Spaß mache. Verschiedene Immersionszustände – Goethe, Gibson, Harry Potter oder eben die Adventuregames. Eine Brücke zwischen Internet- und Buchliteratur stelle die Populärkultur dar. Patch working, fügt Mathez dazu, am Abend lese sie derzeit Dante und tagsüber spiele sie Pokémon für die Forschung.

Für Judith Mathez spielt das Medium eine sekundäre Rolle. Sie untersucht Mitschreibprojekte im Internet, etwas, das theoretisch leichter fassbar ist, weil es sich auf eine Tradition berufen kann, die bis zu den ältesten oralen Erzählkulturen rückverweisen kann. Sie hat Deutsch, Philosophie und Niederlandistik studiert und den Begriff Konkreativität für das Phänomen vorgeschlagen, dass jene (Internet-)Texte in Zusammenarbeit produziert werden. Einen kon-

---

[4] „Raum und Zeit in interaktiven Kinder- und Jugendmedien": <http://www.ds.unizh. ch/ kjmedien/docs/ws_zh_01.html>.
[5] Suter / Böhler 1999.

kreativen Leser erfordere Internetliteratur, insofern der Leser einen Beitrag zum Gelingen machen muss – ähnlich wie bei inszenierter Kunst (Theater, Oper, Film usw.), bei der auch Schauspieler, Musiker, Techniker usw. an der Entstehung einer Aufführung beteiligt sind. Bei der literaturtheoretischen Sicht auf konkreative Projekte ist evident, schreibt Mathez, dass die Beteiligung der Nutzerinnen an der Schaffung der Narration eine Modifikation der herkömmlichen Autor-Leser-Rollenverteilung zur Folge hat. Diese stellt sich bei genauer Betrachtung eher als Verschiebung der Machtverhältnisse auf das editorische und – im digitalen Bereich – programmiertechnische Feld dar denn als radikale Gleichstellung der Leserinnen mit der Autorinstanz.

Ihr Befund auf den Traditionshintergrund konkreativen Schreibens stützt sich auf die ökonomischen Entwicklungen. Während (autonome) deutschsprachige Onlineprojekte von idealistischen Gruppen begründet wurden und die Förderung kindlicher Kreativität im Sinn haben, sind die Kreativ-CD-ROMs, die im Medienverbund entstehen, hauptsächlich ökonomisch ausgerichtet. In der Nachfolge der US-amerikanischen Kreativitätsforschung der sechziger Jahre wurde Kreativität zur Förderung individueller Fähigkeiten funktionalisiert und als Verkaufsargument instrumentalisiert. Im englischsprachigen Raum können Onlineprojekte auf eine etablierte Creative-Writing-Kultur zurückgreifen. Das Schreiben erhält dadurch einen ganz anderen Stellenwert, den eine Schreiberin im Gästebuch einer Geschichte des *Neverending Tales* so ausdrückte: „I am 13 years old and live in Los Angeles, California. […] I do not just come here for fun; I am planning on becoming a published author as soon as possible, so I also come here for practice." Lesen und Schreiben also individuelle Fähigkeiten, um besser Geld verdienen zu können? Ist der beschworene neue Leser denn doch eine Idealkonstruktion? Ja, mehr ein Paradigma, eine Idealkonstruktion, die sie empirisch an sich selbst erproben, bejaht Mela Kocher.

Wie beurteilen die beiden die literarische Qualität von Spielen? Sie blenden die Qualitätsfrage bewusst aus. Sie untersuchen, wie Spiele funktionieren. Diese strikte Abgrenzung von Populärkultur gebe es ohnehin nur im deutschen Sprachraum. Wenn sie, Mathez, einen gewissen Gesichtspunkt des Raums herausgreift und analysiert, könne sie sehr wohl Dante und *Pokémon* vergleichen. Man müsse das erst einmal verstehen, um über Gebrauch, Erfahrung und Kompetenz urteilen zu können.

Den idealtypischen Leser der Computergeneration, vermute ich, kennzeichnet wohl weniger die Abkehr vom Buch, als der gemischte Gebrauch von verschiedenen Kulturtechniken. Einmal darauf hinzusehen, ähnlich wie es Shirley Brice Heath mit klassischen Lesern getan hat, wäre weit sinnvoller als sich in kulturpessimistischen Posen zu üben. Ich vermute weiter, man würde auf eine Art kulturellen Konkretismus stoßen, ein Feld von neuen Möglichkeiten des Schreibens und Lesens. Exklusivität freilich hätte darin keinen bedeutenden Platz.

LITERATUR

Franzen, Jonathan: Vielleicht auch träumen. In: Literaturen Special Juli / August 2002, S. 6–23. Und in: Franzen, Jonathan: Anleitung zum Einsamsein: Essays. Hamburg 2002

Heidenreich, Elke: Wer nicht liest, ist doof. In: Kursbuch 133 (1998): Das Buch, S. 1–7

Suter, Beat / Böhler, Michael (Hgg.): Hyperfiction. Hyperliterarisches Lesebuch: Internet und Literatur. Basel / Frankfurt a. M. 1999

Rüdiger Görner

Der ,Hypocrite Lecteur' als idealer Leser und literarische Gestalt

Als Schattenwesen oder Chimäre mit jedoch relativ hohem Wahrscheinlichkeitswert sieht sich der anonyme, zwangsläufig idealisierte Leser in Texte eingeschrieben, in Vorreden hofiert, zuweilen aber auch aus der Anonymität ins typisierende Bild gerückt, wenngleich meist unter eher unklaren Beleuchtungsverhältnissen. Von Jean Baptiste Chardin (,Le Philosophe lisant') bis Gerhard Richter, zu schweigen von den Photographien lesender Künstler und Schriftsteller findet sich vor allem der – besondere – Leser (werbe-) wirksam in Szene gesetzt und sein Lesen als repräsentativen Vorgang abgebildet.

Was aber repräsentieren diese Bilder? Konzentration unter den Bedingungen zunehmender Zerstreuung oder die Optik eines geistigen Zustands? Dabei gerät naturgemäß weniger der Text in den Blick als vielmehr die ideale Lesesituation. Auf solchen Bildern oder Photographien führt sich das Lesen selbst vor; und die auf ihnen Lesenden zeigen, was Lesen ist oder sein kann. Durch dieses Zur-Schau-Stellen des Lesens werden die Lesenden zu dessen Akteuren oder eben Schauspieler des Lesens. Aber es gibt auch ihn, den Leser als Flaneur durch die Welt der Bücher, scheinbar unbeteiligt an dem, was er da und dort eher zufällig aufnimmt. So stellte sich Friedrich Nietzsche in der klimaktischen Endphase seines Schaffens als Leser dar, und zwar im Abschnitt „Warum ich so klug bin" aus *Ecce homo*:

> In meinem Fall gehört alles Lesen zu meinen Erholungen: folglich zu dem, was mich von mir losmacht, was mich in fremden Wissenschaften und Seelen spazieren gehn läßt, – was ich nicht mehr ernst nehme. Lesen erholt mich eben von meinem Ernste. In tief arbeitsamen Zeiten sieht man keine Bücher bei mir: ich würde mich hüten, Jemanden in meiner Nähe reden oder gar denken zu lassen. Und das hiesse ja lesen …[1]

Gemeinhin aber hängen wir in unserer Einschätzung dessen, was den idealen Leser ausmacht, noch von jenem komplexen bis problematischen Vorstel-

---

[1] Nietzsche 1988, S. 284.

lungshorizont ab, der im Kontext ästhetischer Entwürfe um 1800 entstanden ist. Erinnern wir einleitend einige dieser typischen Leser-Modelle. In den *Athenäums-Fragmenten* etwa notierte Friedrich Schlegel, dass der Mensch durch das Lesen seinen „philologischen Trieb" befriedige und sich selbst literarisch „affiziere".[2] Auch Novalis ging von der These aus, dass jeder Leser „ein Philolog" sei, ergänzte aber in seinen *Teplitzer Fragmenten* (1798):

> Die meisten Schriftsteller sind zugleich ihre Leser – indem sie schreiben – und daher entstehn in den Werken so viele Spuren des Lesers – so viele kritische Rücksichten – so manches, was dem Leser zukömmt und nicht dem Schriftsteller. Gedankenstriche – großgedruckte Worte – herausgehobne Stellen – alles dies gehört in das Gebiet des Lesers. Der Leser sezt den Accent willkührlich – er macht eigentlich aus einem Buche, was er will.[3]

Vermutlich ist es kein Zufall, dass diese frühen Lesetheorien in Gestalt von Fragmenten geboten wurden. Das Lesen selbst wurde als fragmentarischer Vorgang begriffen, der sich jederzeit unterbrechen und wiederaufnehmen ließ. Unter den interaktiven Schreib- und Lesebedingungen im Netz gewinnt Novalis' These eine überraschende Aktualität.

In den *Tabulae Votivae* Goethes und Schillers von 1797 entwarfen beide das Idealbild des freilich nicht selbst aktiv werdenden Lesers in Gestalt von Distichen: „Welchen Leser ich wünsche? Den unbefangensten, der mich,/Sich und die Welt vergißt und in dem Buche nur lebt."[4] In „zehn Verfolgungen des Lesers" skizzierte der Erzähler in Jean Pauls *Titan* seine Vorstellung vom Leser als eines „Märtyrers seiner Meinungen", wobei er sich den Leser als einen „Archimimus" dachte, also als einen Menschen, der nach Art römischer Bestattungssitten hinter dem Autor einher schreitet und durch Gebärden sein Wesen und die Intention seines Buches nachäfft.[5]

Der Leser als enthusiasmierter oder kritischer Genießer, gar als Philologe und Hermeneutiker, als aktiver, den „Accent willkührlich" setzender Rezipient, als einer, der im quasi geheiligten Text aufgeht und als ironischer Imitator, als Parodist – damit ist das Spektrum aufgefächert, das bis heute unser Bild vom lesend die Welt Wahrnehmenden mit bestimmt. Ein Hauptunterschied in unserem Verständnis vom Leser zwischen 1800 und heute ergibt sich daraus, dass sich die Lektürebereiche sprunghaft erweitert haben. Im Ausmaß der (tatsächlichen, aber auch vermeintlichen) Lesbarkeit der Welt spiegelt sich das reale und potenzielle Erkenntnisvolumen einer Zeit. Wir halten inzwischen

---

[2] Schlegel 1978, S. 127.
[3] Novalis 1999, S. 398 f.
[4] Schiller 1981, S. 313.
[5] Paul 1986, S. 171 f.

Städte für lesbar, Träume zumal, sogar den genetischen Code des Lebens. Lesend haben wir Wortverarbeitungs- und Wortverwertungssysteme entwickelt, wobei eine bestimmte Art des Lesens selbst zu einem maschinellen Vorgang geworden ist. Längst sehen wir uns konfrontiert mit dem ontologischen Unterschied zwischen dem Sich-in-etwas-Einlesen und dem Einlesen von etwas, nämlich in den von Algorithmen bestimmten Apparat. Die Algorithmen formalisierter Rechensysteme konkurrieren bedrückend erfolgreich mit dem Alphabet. Elektronischer Bildschirmzauber contra sinnliche Leseerfahrung beim Umblättern vergilbter Seiten – der Leser orientiert sich zwischen virtueller Sprachrealität und intellektuell-erotischer Fühlungnahme mit dem Wort, wobei diese Grenzen längst unscharf geworden und ins Fließen geraten sind. Schon Novalis ahnte, dass die Zahl zur Grundlage des Buchstabens werden könne, womit der ideale Leser Mathematiker und Informatiker sein müsste, um die instrumentellen Bedingungen seines Lesens und der Textkonstituierung selbst ganz zu durchschauen.

Dass aber traditionelles Leseverhalten, filmisch aufgrund eines Romans über mögliche Folgen des Lesens in Szene gesetzt und mit weiblichem Rollenverhalten konnotiert, (noch immer) zu einem ungewöhnlich ansprechenden Gesamtkunstereignis werden kann, veranschaulichte der Film *The Hours* nach dem gleichnamigen Roman von Michael Cunningham. David Hares und Stephen Daldrys filmische Umsetzung zu den Klangphasen der polierten Serialität eines Philip Glass und Zitaten aus Richard Strauss' *Vier letzten Liedern*, welche die psychischen Dimensionen dieses Leinwandepos anklingen lassen, macht den Zuschauer zu einem Voyeur intimen Leseverhaltens, zu einem ,hypocrite spectateur' und Stiefbruder des Geschehens. Die auf zwei Zeitebenen erfolgende Lektüre von Virginia Woolfs Roman *Mrs Dalloway*, aber auch Rückblenden auf die Zeit der Niederschrift des 1923 in Richmond begonnenen und 1925 erschienenen Romans bedingen den filmischen Verlauf. Die Leserinnen im Film, die eine namens Laura Brown, eine vergleichsweise ,gewöhnliche Leserin' im Sinne Samuel Johnsons und Virginia Woolfs in einer der Vorstädte von Los Angeles im Jahre 1949, die andere Clarissa Vaughan im Manhatten der 90iger Jahre, werden zu dem, was sie lesen; denn eigentlich führt nicht Stephen Daldry Regie, sondern Virginia Woolfs Roman. Diese Leserinnen können ihre Welt im Grunde nur durch *Mrs Dalloway* lesen und wahrnehmen und allenfalls episodisch am Rande des Abgrunds weiterleben. Der ideale Zuschauer dieser melacholisch-idealen Leserinnen Virginia Woolfs nun hätte die Romane *Mrs Dalloway* und *The Hours* gelesen, wobei er beim Betrachten des Films diese Lektüre gleichzeitig erinnerte und vergäße.

Das Bedeutsame dieses Films und vor allem auch des ihm zugrunde liegenden Romans von Cunningham besteht darin, dass sie das Lesen und die Gestalt der Leserin für literarisch-filmisch darstellenswert erachteten, in ihnen also ein entwicklungsfähiges Handlungsmoment entdeckten. Das ist in der Literatur keineswegs selbstverständlich. Der Leser (und mit ihm der Lesevorgang) als romanhaft-poetischer, geschweige dramatischer Gegenstand ist trotz eindrucksvoller Gegenbeispiele nicht die Regel.[6] Zuweilen kann man sogar den Eindruck gewinnen, als verweigere der Autor seinen Lesern eine fiktive Leserfigur, damit sie sich bei der Lektüre nicht mit ihrem Spiegelbild konfrontiert sehen. Wo zum Beispiel fände sich ein wirklicher Leser in Kafkas Werken?[7] Im Roman *Das Schloß* schreibt K. Protokolle, die keiner liest, vielleicht auch *weil* sie keiner lesen wird. Von Klamm, einer Oberautorität im Roman, ist sogar bekannt, dass er aktiv Leseverweigerung betreibt.[8] Bei Alfred Döblin findet sich die Geschichte des Kaminkehrers Karl Flieder („Die Bibliothek"), der sich von Zeit zu Zeit in eine Bibliothek setzt, um Bildung von den Regalen auf sich einströmen zu lassen. Seine eigentlichen Leseversuche aber scheitern. Das Fazit des Erzählers:

> Man darf sich in der Bibliothek nicht mit den einzelnen Büchern befassen, die sich ja auch untereinander widersprechen, sondern muß sich mit einer gewissen Quersumme begnügen, die sich bei Aufenthalt in einem mit Büchern besetzten Raum ohne weiteres ergibt [...] Man behauptete, die Hochachtung vor Büchern verhindere ihn zu lesen.[9]

Dass Lesen die (potentiell produktive) Gefahr des Verlesens einschließt, hat Freud in einem Hauptkapitel seiner *Psychopathologie des Alltagslebens* (1904) untersucht. Freud deutet das Verlesen als Ausdruck eines Hineinlesens der Umstände des Lesers in den Text. Damit rückt er den vordergründig defizitären Leser in den Mittelpunkt, stößt aber gleichzeitig zu einem Leseverhaltensmodell vor, das die Umstände des Lesens und deren Wirkung auf die Interpretation des Gelesenen berücksichtigt. Er zitiert unter anderem Lichtenberg, der nach ausgiebiger Homer-Lektüre „immer *Agamemnon* statt *angenommen* las" und befindet:

> In einer übergroßen Anzahl von Fällen ist es nämlich die Bereitschaft des Lesers, die den Text verändert und etwas, worauf er eingestellt oder womit er beschäftigt ist, in ihn hineinliest. Der Text selbst braucht dem Verlesen nur dadurch entgegenzukommen, daß er irgendeine Ähnlichkeit im Wortbild bietet, die der Leser in seinem Sinne verändern kann.[10]

---

[6] Vgl. dazu u.a.: Wuthenow 1980, S. 199–215, und auch Goetsch 1983, S. 199–215, neuerdings auch den Forschungsüberblick von Stocker 2002, S. 208–241.

[7] Koelb 1982, S. 511–525.

[8] Kafka 1980, S. 111.

[9] Döblin 2001, S. 480.

[10] Freud 1989, S. 93.

Auf eine Variante solchen Lesens hat in unseren Tagen Jeanette Winterson aufmerksam gemacht. Leser tendieren dazu, so die Nachfahrin Virginia Woolfs in
der englischen Gegenwartsliteratur, ihre Lieblingstexte je nach Kontext, eige-
ner Stimmung und Lebenslage anders zu zitieren.[11] Der Leser verwandelt seinen Text demnach in ein Chamäleon und verhält sich zu ihm entsprechend.

Zu handeln aber ist – nach diesen einschränkenden Vorbemerkungen –
von Beispielen eigentlicher literarischer Leserdarstellung; ihr dunkel leuch-
tendstes findet sich gleich am Anfang des 20. Jahrhunderts in Gestalt des Lü-
becker Senators Thomas Buddenbrook.

Wie aber konnte aus diesem eher unwahrscheinlichen Leser der nachge-
rade bedenklich ideale Rezipient Schopenhauers, zumindest des einen Kapi-
tels „Über den Tod und sein Verhältnis zur Unzerstörbarkeit unsers Wesens an
sich" werden? Der Beschreibung dieser Entwicklung dienen im wesentlichen
die ersten Kapitel des ‚Zehnten Teils' der *Buddenbrooks*, in denen der Senator
auf diese für ihn existentiell werdende Lektüre Schritt für Schritt herangeführt
wird. Sein Mürbe-Werden beginnt mit der Einsicht, dass seine „phantasievolle
Schwungkraft" von einst, sein unternehmerischer Geist dahin seien. Es will
ihm nicht mehr gelingen, „im Spiele zu arbeiten und mit der Arbeit zu spielen".[12] Frische, Spannkraft, Humor und „guter Mut" für ein solches Spielen
scheinen ihm abhanden gekommen. Diese Selbsterkenntnis beginnt wie ein
langsam wirkendes Gift seinen Willen zu lähmen. Gelegentlich schauspielert
er noch, indem er die Rolle des lübeckischen Senators und Geschäftsmannes
ausfüllt, aber es ist ihm mehr und mehr nach wenn nicht Verneinung, so doch
Stillegung dieses Willens zumute. Der Erzähler fordert dazu auf, dies ganz
wörtlich zu verstehen: „Nur ein Wunsch erfüllte ihn [Thomas Buddenbrook,
R. G.] dann: dieser matten Verzweiflung nachzugeben, sich davonzustehlen
und zu Hause seinen Kopf auf ein kühles Kissen zu legen." [615]. Noch liest
er dabei nicht; dafür betrachtet er lange und immer länger melancholisch, Be-
drückendes ahnend, seinen kleinen Sohn Hanno; man könnte sagen, er liest in
dessen Wesen wie in einem Buch die Zeichen und Symptome des Verfalls.

Auch zu weiten Reisen reicht Thomas Buddenbrooks Willenskraft nicht
mehr. Statt dessen vier Wochen Sommerfrische im nahe gelegenen Trave-
münde. Danach das Resümee als weiterer Schritt in Richtung unverhoffter,
schicksalhafter Schopenhauer-Lektüre:

> […] wenn man mit diesem Badeaufenthalt den Zweck verfolgt hatte, ihn
> härter, energischer, frischer und widerstandsfähiger zu machen, so war
> man jämmerlich fehlgegangen; von dieser hoffnungslosen Wahrheit war

---

[11] Winterson 1996, S. 26.
[12] Mann 1990, S. 610. Die folgenden Seitenangaben im Text beziehen sich auf diese Ausgabe.

er ganz erfüllt. Sein Herz war durch diese vier Wochen voll Meeresandacht und eingehegtem Frieden nur noch viel weicher, verwöhnter, träumerischer, empfindlicher geworden [...]." [636]

Der letzte den Senator auf die Schopenhauer-Lektüre vorbereitende Erzählschritt betrifft das Erscheinen des Herrn von Throta, Musiker und Galan dazu, der mit der Senatorin musiziert „und nicht nur musizierte" [647], wie Buddenbrook im Nebenzimmer und ganz Lübeck auf offener Straße mutmaßen: die Musik, für die Buddenbrook eigentlich kein Organ hat und doch spürt, was an Gefährlichkeit hinter diesen „aufwogenden Harmonien" lauert. Zuletzt bricht sie jedoch noch in Buddenbrook durch, die „Hast und Furcht nach der Wahrheit zu suchen, die es irgendwo für ihn geben mußte ..." [653]. Es treibt ihn um in Haus und Kontor, das er „zum Erstaunen des Personals" jetzt mitten in der Arbeitszeit verlassen konnte, um sich im Garten zu ergehen. Und dort, im Pavillon, ist der Ort, wo Buddenbrook zum Leser wird. Den Band, vor Jahr und Tag „zu einem Gelegenheitspreise achtlos erstanden", hatte er vor sich und den anderen wie ein anrüchiges Buch seinerzeit „in einem tiefen Winkel des Bücherschranks, hinter stattlichen Bänden versteckt" [654]. Als Buch gehörte es nicht zu den repräsentativen Vorzeigeausgaben im großbürgerlichen Bücherschrank; dieser (nur) zweite Teil „eines berühmten metaphysischen Systems" war auf „dünnem und gelblichem Papier schlecht gedruckt und schlecht geheftet" [ebd.].

Der dem Tode bereits anheim gegebene Schopenhauer-Leser Buddenbrook liest, „da in solcher Lektüre ungeübt", ohne die philosophischen Dimensionen genau zu verstehen. Er liest gleichsam über seine Verhältnisse; was er aufnimmt, er weiß es, „ist zuviel für mein Bürgerhirn" [655]. Und dennoch lässt er nicht ab von diesem Buch. Zu seiner eigenen Überraschung fesselt ihn diese Lektüre mehr als sinnliches denn intellektuelles Ereignis:

> Aber gerade der Wechsel von Licht und Finsternis, von dumpfer Verständnislosigkeit, vagem Ahnen und plötzlicher Hellsicht hielt ihn in Atem, und die Stunden schwanden, ohne daß er vom Buche aufgeblickt oder auch nur seine Stellung im Stuhle verändert hätte. [654]

Stuhl und Ambiente, von einem kleinen Schaukelstuhl aus gelbem Rohr ist die Rede, erinnern an das Ostseebad an der Trave und damit an das Entgrenzende der „Meeresandacht", die sich in „wachsende Ergriffenheit" bei der Schopenhauer-Lektüre verwandelt hat.

Was nun löst diese geradezu anti-hermeneutische Lektüre in Buddenbrook aus? Eine ganze Serie von in sich kreisenden pseudo-philosophischen Phantasien, die das Ausmaß seines Nichtverstehens illustrieren. Er reduziert das große Todes-Kapitel Schopenhauers auf die erschlichene Augenblicksgewissheit „Ich werde leben!" [656], wobei es ihm später aber nicht mehr gelingt, die Lektüre dieses Buches wieder aufzunehmen. Statt dessen erhält das Dienstmädchen eines Tages Anweisung, das Buch aus dem Pavillon zu holen und „in den Bücherschrank zu stellen" – immerhin verstecken muss er es nun nicht länger.

Der Leser Buddenbrook gerät zur tragikomischen Figur. Als Typus vertritt er den hilflosen Rezipienten, den der Lektüre Ausgelieferten, der nur hoffen kann, irgendwie von seinem überwältigenden Leseeindruck wieder loszukommen oder ihm – wie im Falle des Senators – mit tödlichen Konsequenzen zu erliegen. Genauer gesagt: Indem der Senator Schopenhauer las, unterlief er seine bis dahin mühsam gespielten Rollen. Verborgen bleibt ihm dagegen, dass er damit vollzieht, was Schopenhauer der Subjektivität der Kunst zugeschrieben hatte, nämlich ihr die Konventionen unterlaufendes, auf die Revolvierung, wenn nicht gar Revolutionierung des Inneren zielendes Vermögen.[13]

Wer den Blick auf die Lebensdinge und damit das Sehen überhaupt als existentielle Wesentlichkeit zu begreifen beginnt, wer ein neues Sehen-Lernen an sich erfährt, mag darin den Ausgangspunkt einer inneren Wandlung erkennen. Genau das widerfährt Rilkes Malte Laurids Brigge. Bei ihm geht dieses andere, intensivere Sehen, das er in der Großstadt lernt, mit bewussterem Lesen einher. Der mit „Bibliothèque Nationale" überschriebene Teil der *Aufzeichnungen* beginnt unspektakulär genug. „Ich sitze und lese einen Dichter".[14] Das ‚andere' gewandelte Sehen des Lesers Malte, das seine ganzen Sinne beansprucht, spiegelt sich jedoch schon in den folgenden Sätzen:

> Es sind viele Leute im Saal, aber man spürt sie nicht. Sie sind in den Büchern. Manchmal bewegen sie sich in den Blättern, wie Menschen, die schlafen und sich umwenden zwischen zwei Träumen. [ebd.]

Mehr noch als das eigentliche Buch ‚liest' Malte seine Umgebung, wobei sich dann aber sein Blick spiegelbildartig auf sich selbst richtet:

> […] ich, vielleicht der armseligste von diesen Lesenden, ein Ausländer: ich habe einen Dichter. Obwohl ich arm bin. Obwohl mein Anzug, den ich täglich trage, anfängt, gewisse Stellen zu bekommen, obwohl gegen meine Schuhe sich das und jenes einwenden ließe. Zwar mein Kragen ist rein, meine Wäsche auch, und ich könnte, wie ich bin, in eine beliebige Konditorei gehen […] und könnte mit meiner Hand getrost in einen Kuchenteller greifen und etwas nehmen. Man würde nichts Auffälliges darin finden und mich nicht schelten und hinausweisen, denn es ist immerhin eine

---

[13] Vgl. dazu: Ebeling 1989, S. 164.
[14] Rilke 1996, S. 479. Die folgenden Seitenangaben im Text beziehen sich auf diese Ausgabe.

Hand aus den guten Kreisen, eine Hand, die vier-bis fünfmal täglich gewaschen wird. [480]

Diese assoziative Selbstbetrachtung führt Malte, seinen Dichter lesend, in Gedanken hinaus aus der Bibliothèque Nationale auf die Boulevards und an den Geschäften vorbei. Der Leser Malte erliest sich Gegensätze. Mitten in Paris vertieft er sich, nein, nicht in die Werke des Stadtdichters Verlaine, sondern in die Gedichte des pyrenätischen Dichters Francis Jamme, eines Orpheus der Provinz. Indem er liest, schärft sich sein Blick für sich selbst, die Umgebung und damit für die Bedingungen seines Lesens weiter. Zudem liest sich Malte aus seinen im vorigen Erzählabschnitt ausgeführten Kindheitserinnerungen heraus in die Pariser Gegenwart.

Der Figur des lesenden Malte hatte Rilke lyrisch vorgearbeitet, und zwar durch die Gedichte „Der Lesende" (1901) in der Sammlung *Das Buch der Bilder* sowie „Der Leser" (1908) in *Der neuen Gedichte anderer Teil*. Insbesondere dieses zweite Gedicht gehört zum Entstehungszusammenhang der Lese-Szene im *Malte*.

Der Leser

Wer kennt ihn, diesen, welcher sein Gesicht
Wegsenkte aus dem Sein zu einem zweiten,
Das nur das schnelle Wenden voller Seiten
Manchmal gewaltsam unterbricht?

5   Selbst seine Mutter wäre nicht gewiß,
Ob er es ist, der da mit seinem Schatten
Getränktes liest. Und wir, die Stunden hatten,
Was wissen wir, wieviel ihm hinschwand, bis
Er mühsam aufsah: alles auf sich hebend,

10   Was unten in dem Buche sich verhielt,
Mit Augen, welche, statt zu nehmen, gebend
Anstießen an die fertig-volle Welt:
Wie stille Kinder, die allein gespielt,
Auf einmal das Vorhandene erfahren;

15   Doch seine Züge, die geordnet waren,
Blieben für immer umgestellt. [I, 581]

Lesend unkenntlich werden ist das Motiv dieses Gedichts. Wenn auch dieser Leser nicht unbedingt sein Leben geändert hat, seine Lektüre hat ihn geprägt bis zur bleibenden Veränderung der Gesichtszüge. Dieser Leser gibt sich der Lektüre hin, so scheint es zumindest dem nicht weiter in Erscheinung tretenden Beobachter, und verfällt in Selbstvergessenheit. Anders als Malte gelingt es diesem Leser nicht, über sich hinauszusehen, die Welt und ihre Lebensdinge zu lesen. Das Lesen dieses Lesers bleibt im Selbstreferentiellen gefangen; liest er doch „mit seinem Schatten Getränktes".

Aber das für die Thematik des Lesens als literarisches Motiv ergiebigere Rilke-Gedicht ist fraglos seine in Westerwede entstandene Dichtung „Der Lesende", eines der für *Das Buch der Bilder* so charakteristischen Ich-Gedichte, die ansatzweise erzählen wollen. Daraus einige Auszüge:

Ich las schon lang […]
Vom Winde draußen hörte ich nichts mehr:
mein Buch war schwer.
Ich sah ihm in die Blätter wie in Mienen,
die dunkel waren von Nachdenklichkeit,
und um mein Lesen staute sich die Zeit. –
Auf einmal sind die Seiten überschienen,
und statt der bangen Wortverworrenheit
steht: Abend, Abend … überall auf ihnen. [I, 331]

Dieses Ich liest die Seiten als handelte es sich um die Gesichtszüge („Mienen") des Buches, wobei das Lesen zum Staudamm der Zeit wird, die ihrerseits in ein finales Stadium geraten sein dürfte, wie die anapherartige Verwendung des Wortes ‚Abend' andeutet. Diesem Lesen kommt keine hermeneutische Funktion zu. Nicht das Verstehen des Gelesenen ist Thema, sondern dessen Überlagerung durch andere schwer entzifferbare Zeichen oder eben schiere „Wortverworrenheit".

Doch eine sich ins Emphatische steigernde Wendung dieses Gedichts kann hier eine Art Durchbruch durch das Nichtverstehen bewirken:

Und wenn ich jetzt vom Buch die Augen hebe,
wird nichts befremdlich sein und alles groß.
Dort draußen ist, was ich hier drinnen lebe,
und hier und dort ist alles grenzenlos:
nur daß ich mich noch mehr damit verwebe,
wenn meine Blicke an die Dinge passen
und an die ernste Einfachheit der Massen, –
da wächst die Erde über sich hinaus.
Den ganzen Himmel scheint sie zu umfassen:
der erste Stern ist wie das letzte Haus. [I, 332]

Verstehen gelingt erst dann, so die große Schlusskadenz des Gedichts, wenn der Lesende über den Buchrand hinausblickt. Dann kann es sogar zu einer allumfassenden Einheitserfahrung kommen, einer Epiphanie des Grenzenlosen, wachsender Verflechtung zwischen Gelesenem und Gesehenem und der Identität von Großem und Kleinem, Entgrenztem und Überschaubarem. Nicht nur die Erde, der Lesende selbst wächst hierbei über sich und seine Lektüre hinaus, während der Leser der *Neuen Gedichte* und die Leser um den lesenden Malte in die Lektüre hineinwachsen. Oder handelt es auch hier um „scheinheilige Leser" im Sinne Baudelaires, die nicht anders können als wirkliche Identität zwischen sich selbst und ihrer Lektüre vorzutäuschen? Der ,hypocrite lecteur' – ein Verräter des idealen Lesens oder der einzig denkbare Verbündete des seinerseits unablässig täuschenden Autors?

Oft hat Rilke sein eigenes Lesen in Briefen beschrieben, das Blättern in Büchern, als handelte es sich um das Sammeln und Sichten gefallenen Herbstlaubs. Aber er hinterließ auch die Skizze einer Rechenschaft „öffentlichen Lesens", die „Vorrede zu einer Vorlesung aus eigenen Werken" vor dem Hottinger Lesezirkel 1919. Erstaunlich daran ist, dass Rilke betont: „Die Wahl der Lesestücke ist keine vorherbestimmte. Unter dem Einfluß Ihrer Gegenwart und Teilnehmung gedachte ich mich zu dem oder jenem Gedicht zu entschließen" [IV, 709]. War das aufrichtig gemeint, oder spricht da ein ,hypocrite poète', der aber gleichzeitig am Ende seiner Vorrede „die wirkliche redliche Gemeinsamkeit dieser Stunde" beschwört, das Authentische dieser öffentlichen Lesung. Inszenierte Ursprünglichkeit, unverfälschte Täuschung – noch im letzten Lesewinkel, ob auf der Bühne oder in der eigens für die Lektüre hergerichteten Zimmerecke lauert das Paradox und liest mit.

Etwa zu der Zeit als Malte Laurids Brigge in der Bibliothèque Nationale sitzt und liest, verbringt der kleine Jean-Paul Sartre seine Kindheit im wesentlichen in der Bibliothek seines Großvaters und Privatgelehrten Charles Schweitzer im Elsass. Im ersten Teil seiner Autobiographie *Les Mots* beschreibt er den kindlichen Umgang mit Büchern, das Lesen als Erkundung eines artifiziellen Erfahrungsraumes.[15] Es beginnt damit, dass er vorgibt, lesen zu können. Er sucht nicht nach den Dingen, nicht nach Spielzeugen; die Bücher ersetzen ihm beides; sie sind seine Vögel und Nester, Haustiere und Landschaft. Sartre nennt die großväterliche Bibliothek eine in einem Spiegel gefangene Welt. Aus dieser Welt, obzwar von ihr sein Leben lang gezeichnet, rettete sich der junge Sartre in die Lebenswirklichkeit von Paris.

Was aber geschehen kann, wenn die Lesewelt zur eigentlichen Welt und damit zur wahnhaften Lebensform wird, veranschaulicht wie kaum ein anderes Buch Elias Canettis erster Roman *Die Blendung* (1935). Er schildert den zum „Büchermenschen" gewordenen Leser, den die Sorge für das Wohlergehen seiner Bücher umtreibt und der nur zwei Ängste kennt: Feuer und Erblindung. Was dieser Bibliotheksbesitzer und Sinologe namens Peter Kien seinen

---

[15] Sartre 1964.

Mitmenschen längst nicht mehr zuzugestehen bereit ist, wirkliche Gefühle, schreibt er seinen Büchern zu: „[...] wer hatte denn je die Fühllosigkeit des Anorganischen wirklich bewiesen, wer weiß, ob ein Buch sich nicht nach anderen sehnt, mit denen es lange beisammen war, auf eine Art, die uns fremd ist und die wir darum übersehen?"[16] Wenn Kien spazieren geht, dann nur um die Witterung fremder Bücher in Buchläden aufzunehmen, ihre Luft zu atmen und neu aufzuleben [14]. Der Leser Kien erweist sich als unfähig, einmal Gelesenes zu vergessen. Entsprechend reproduktiv arbeitet sein Intellekt. Die Haushälterin Therese Krumbholz, deren plumpen Avancen er nach acht Jahren erliegt und sie ehelicht, hatte er zunächst primär um der Bücher willen angestellt, damit diese ‚versorgt' seien.

Es liegt in der Natur des Buches, dass es seine Charaktere typisiert nach Art eines Bibliotheksinventars. Da gibt es den Blinden, den interessanten Menschen, den rohen Hausbesorger. Überhaupt scheint es das zu sein, was um Kien und seine Bibliothek lodert: die Verrohung der Gesellschaft. Kien liest, um sich vor der Welt zu schützen. Als sich diese in Gestalt der Haushälterin Therese bei ihm einnistet, führt das unweigerlich zur Selbstzerstörung Kiens. Dass seine Bibliothek in Flammen aufgeht, bedeutet dabei aber auch, dass sie ‚den anderen' nicht in die Hände fallen kann. Denn, so könnte man sagen, Kien opfert zuletzt seine Bücher seiner abstrusen Idee von Kultur.

In Canettis Roman artet der Akt des Lesens in eine Zwangshandlung aus; und die Bibliothek gleicht einer privaten Anstalt für hoffnungslose Fälle. Canetti verweist darauf, dass er bei der Arbeit an diesem Roman stets die Nervenheilanstalt Steinhof in der Nähe des Lainzer Tiergartens in Wien, er nennt sie „die Stadt der Irren", vor Augen hatte. Kiens Bibliothek und Wohnung bietet, wenn man so will, ein verkleinertes Spiegelbild des Steinhofs, wobei das Wahnhafte nicht nur in Kien zu suchen ist, sondern offenbar auch in seinen Büchern.

Der doch überraschende gemeinsame Nenner dieser literarischen Lesegestalten besteht in ihrer Verweigerung hermeneutischen Lesens. Buddenbrook, Malte und Kien werden, je auf ihre Weise, eher zu Opfern ihrer Lektüre. Mag sein, dass Baudelaire seinem Leser deswegen Scheinheiligkeit zugestand, weil er wusste, dass der *lecteur* ohne solchen Selbstschutz gewisse Lektüren, zu denen die *Fleurs du Mal* gehören mögen, nicht übersteht. Freilich: Wer wird, was er liest, dürfte sich verlesen haben.

---

[16] Canetti 1994, S. 69. Alle nachfolgenden Seitenangaben im Text beziehen sich auf diese Ausgabe. Vgl. Canetti 1981, S. 241–253 (*Das erste Buch: Die Blendung* von 1973).

LITERATUR

Canetti, Elias: Das Gewissen der Worte. Essays. Frankfurt a. M. 1981, S. 241–253

Canetti, Elias: Die Blendung. Roman. Frankfurt a. M. 1994

Döblin, Alfred: Die Ermoderung einer Butterblume. Sämtliche Erzählungen. Hrsg. von Christina Althen. Düsseldorf / Zürich 2001

Ebeling, Hans: Ästhetik des Abschieds. Kritik der Moderne. Freiburg i. Br. 1989

Freud, Sigmund: Zur Psychopathologie des Alltagslebens. Mit einem Vorwort von Alexander Mitscherlich. Frankfurt a. M. 1989, S. 93

Goetsch, Paul: Leserfiguren in der Erzählkunst. In: Germanisch-Romanische Monatshefte 33 (1983)

Kafka, Franz: Das Schloss. Roman. Hrsg. von Max Brod. Frankfurt a. M. 1980

Koelb, Clayton: ‚In der Strafkolonie'. Kafka and the Scene of Reading. In: The German Quarterly 55 (1982), S. 511–525

Mann, Thomas: Gesammelte Werke in dreizehn Bänden. Frankfurt a. M. 1990

Nietzsche, Friedrich: Sämtliche Werke. Kritische Studienausgabe. Hrsg. von Giorgio Colli u. Mazzino Montinari. München 1988

Novalis: Werke, Tagebücher und Briefe. Hrsg. von Hans-Joachim Mähl u. Richard Samuel. Darmstadt 1999

Paul, Jean: Werke in drei Bänden. Hrsg. von Norbert Miller. 4. Aufl. München 1986

Rilke, Rainer Maria: Werke. Kommentierte Ausgabe in vier Bänden. Hrsg. von August Stahl. Frankfurt a. M. / Leipzig 1996

Sartre, Jean-Paul: Les Mots. Paris 1964

Schiller, Friedrich: Sämtliche Werke. Hrsg. von Gerhard Fricke u. Herbert G. Göpfert. München 1981

Schlegel, Friedrich: Kritische und theoretische Schriften. Auswahl u. Nachwort von Andreas Huyssen. Stuttgart 1978

Stocker, Günther: ‚Lesen' als Thema der deutschsprachigen Literatur des 20. Jahrhunderts. In: Internationales Archiv für Sozialgeschichte der deutschen Literatur. 27 (2002), H. 2, S. 208–241

Winterson, Jeanette: Art Objects. Essays on Ecstasy and Effrontery. London 1996

Wuthenow, Ralph-Rainer: Im Buch die Bücher oder Der Held als Leser. Frankfurt a. M. 1980

Christoph Bartmann

DICHT AM DICHTER. DIE LESUNG ALS RITUAL UND ROUTINE

Meine ‚Dichterlesung' findet morgen um 19 Uhr statt. Ich hätte mich nicht auf diesen öffentlichen Auftritt einlassen sollen. Jetzt werde ich hingehen und lesen und reden müssen. Worüber soll ich denn reden? Ich werde Gedichte vorlesen. Ich weiß, daß ich schlecht lese. Eintönig. Manchmal höre ich den Zwischenruf: ‚Lauter!' Dann lese ich irritiert noch leiser, verschlucke die Wörter; schließlich sind es alles Wörter, die ich gut kenne, ich weiß genau, wie es weitergeht. ‚Wir kennen ihre Abneigung gegen das Vorlesen. Wir könnten einen Schauspieler engagieren.' Woher wissen Sie, daß ich ungern vortrage? Aber ich lese lieber selber vor, dann brauche ich meine Gedichte nicht anzuhören. Ich sehe den Studenten an, der mir gegenüber sitzt. Ich werde ihm die Wahrheit sagen, werde ihm sagen, daß ich nichts weiß und nichts zu sagen habe. Er wird es mir nicht glauben.[1]

„Vorbereitungen zur Dichterlesung" heißt der Essay des polnischen Lyrikers und Essayisten Tadeusz Rózewicz aus dem Jahre 1971, in dem er von der Unlust erzählt, als Dichter öffentlich zu lesen – und von der Schwierigkeit, *nicht* zu lesen. Die Situation lässt sich übertragen: Ein Autor (oder eine Autorin) hat sich auf einen öffentlichen Auftritt ‚eingelassen', das heißt: sich zu einer Konzession an das Publikum, die Öffentlichkeit und die Usancen des Markts bereit gefunden, die er (oder sie) sogleich zu bereuen scheint. Anders als der professionelle Bühnenkünstler scheut mancher Autor den Auftritt, denn er verlangt ihm zwei Fertigkeiten ab, die er nicht notwendig zu seinen Kernkompetenzen zählt: Lesen und Reden. Lesen soll der Autor seine eigenen Texte, reden soll er über Gott und die Welt, und zu beidem fühlt er sich nicht berufen. Das Lesen könnte man einem Schauspieler überlassen, das Reden einem Journalisten. Aber das Publikum will den Autor in eben dieser Rolle sehen: zuerst als authentische Stimme, die den Text gleichsam mit dem Originalinstrument zur Aufführung bringt, sodann im Gespräch als privilegierten Interpreten

---

[1] Rózewicz 1979, S. 34.

und Vermittler des selbst Geschriebenen, und schließlich auch als Orakel in allen möglichen Zeit- und Daseinsfragen. Versteht man unter diesen Umständen Rózewicz' Reserve gegen die Dichterlesung? Man versteht sie nur zu gut, denn Lesungen sind merkwürdige Rituale, über denen, anders als etwa bei Konzerten, Theatervorstellungen oder Vorträgen nicht selten ein Hauch von Peinlichkeit schwebt. Trotzdem (oder deshalb?) erfreuen sich Autorenlesungen heute einer noch nicht da gewesenen Beliebtheit, und kaum ein Autor kann es sich leisten, der Einladung zum Auftritt zu widerstehen. So sehr gehört das öffentliche Vorlesen inzwischen zum Berufsbild des Schriftstellers, dass sich um die wenigen, die sich ihm sichtbar entziehen, ein Nimbus der Verborgenheit aufgebaut hat. Vielen Autoren dürfte es freilich ähnlich gehen wie Rózewicz: Man hat eine Einladung erhalten, hat sie angenommen, hat die Zusage bedauert, aber dann doch nicht zurückgenommen. Und also liest man und redet man und erhält ein Honorar und wird womöglich aus der Lesung und der Vorbereitung zu ihr literarischen Stoff gewinnen, der wiederum Anlass zu neuen Einladungen und neuen Bedenken geben wird – und so fort.

Ehe ich mich wieder der heutigen Gestalt der Autorenlesung unter dem Gesichtspunkt des ,Rituals' zuwende, will ich in einem knappen Rückblick die Geschichte des literarischen Vorlesens in Erinnerung rufen (wobei ich mich bei den meisten meiner Beispiele auf die schöne Marbacher Dokumentation „Dichter Lesen" aus dem Jahre 1984 stütze). Diese Geschichte ist, wie sich denken lässt, älter als die des stillen Lesens literarischer Werke. Dieses setzt nämlich Leser voraus, wie es sie in Europa erst seit der Mitte des 18. Jahrhunderts in größerer Zahl gibt. Vor Lesern gab es also Hörer – und Vorleser, und vor ihnen die Sänger oder Rhapsoden, die einem oftmals leseunkundigen Publikum zu Gehör brachten, was nie geschrieben und schon deshalb nicht gelesen werden konnte. Vor allem aus der Lyrik ist der performative Vortrag, die Rezitation oder Deklamation also, bis heute nicht wegzudenken. Heutige ,Poetry Slams' etwa greifen in ihrer Betonung des Agonalen ebenso wie des Nicht-Geschriebenen und Nicht-Gelesenen Formen des antiken und mittelalterlichen Sängerwettstreits auf; und in manchen Sprachräumen wie dem Russischen oder Arabischen ist das Gedicht immer noch zuerst und vor allem ein lautlich-akustisches Ereignis. In der deutschen Literatur häufen sich bekanntlich von Gellert und Klopstock an die Vorlese-Szenen. Empfindsam sein heißt, so ließe sich verkürzt sagen, einander vorlesen. Das Wort ,einander' besagt auch, dass hier nicht bereits der Autor einem Publikum gegenübertritt, sondern im geselligen Kreis, unter seinesgleichen, aus Unveröffentlichtem das eine oder andere zur Mitteilung bringt. In Lesegesellschaften, später in Salons und Tafelrunden kündigt sich die allmähliche Öffnung der Vorlese-Intimität, der Übergang vom geselligen Kreis zum Publikum an. Einen Höhepunkt in der Verschränkung von Intimität und Vorlese-Kultur stellt fraglos Goethes *Werther* dar:

> Werther ging in der Stube auf und ab, sie [Lotte, C.B.] trat an's Clavier und fing eine Menuett an, sie wollte nicht fließen. Sie nahm sich zusammen und setzte sich gelassen zu Werthern, der seinen gewöhnlichen Platz auf dem Canapee eingenommen hatte. Haben Sie nicht zu lesen? Sagte sie. – Er hatte nichts – Da drin in meiner Schublade, fing sie an, liegt Ihre Übersetzung einiger Gesänge Ossians; ich habe sie noch nicht gelesen, denn ich hoffte immer, sie von Ihnen zu hören; aber zeither hat sich's nicht finden, nicht machen wollen. – Er lächelte, holte die Lieder, ein Schauer überfiel ihn, als er sie in die Hände nahm, und die Augen standen ihm voll Thränen, als er hinein sah. Er setzte sich nieder und las. [...] Ein Strom von Thränen, der aus Lottens Augen brach und ihrem gepreßten Herzen Luft machte, hemmte Werthers Gesang. Er warf das Papier hin, faßte ihre Hand und weinte die bittersten Thränen.[2]

Das 19. Jahrhundert erlebt den Aufstieg des literarischen Vortragskünstlers (von denen Ludwig Tieck einer der berühmtesten war) und den Beginn der Lesereise in kommerzieller Absicht. Zwei Beispiele aus der europäischen Literatur können das verdeutlichen. Hans Christian Andersen reiste als Märchenerzähler jahrelang von einem Hof und Schloss zum anderen und empfing als Gegengabe für seine Erzählungen Kost, Logis sowie allerhöchste Huld und Aufmerksamkeit. „Gleich bei meiner Ankunft in Berlin", erzählt er in seinen Erinnerungen von 1847,

> wurde ich zur königlichen Tafel geladen, ich erhielt einen Platz neben Humboldt, den ich am besten kannte [...] Der König empfing mich gnädig, sagte, daß er während eines Aufenthaltes in Kopenhagen nach mir gefragt, jedoch gehört habe, daß ich verreist sei.[3]

Vor dem König, Humboldt und einigen Hofdamen und Kammerherren darf Andersen vier Märchen vorlesen und bald darauf seinen ersten Orden entgegennehmen, das „Ritterkreuz des Roten Adlerordens dritter Klasse". Geltungsdrang und der Wunsch nach sozialer Anerkennung lassen sich als Motiv hinter Andersens rastloser Reisetätigkeit erkennen; bei Charles Dickens, dem zweiten Beispiel, scheinen eher ökonomische Gründe am Werk zu sein. Bei keinem Autor vor ihm lässt sich mit solcher Konsequenz die Absicht verfolgen, zu beiderseitigem Nutzen einen Pakt mit dem bücherlesenden und -kaufenden Publikum einzugehen. Was mit Wohltätigkeitslesungen begann, ent-

---

2 Zit. nach Tgahrt 1984, S. 37.
3 Zit. nach Tgahrt 1984, S. 238.

wickelte sich nach und nach zum enorm erfolgreichen und einträglichen Lese-Gewerbe. Grahame Smith schreibt in seinem Buch *Charles Dickens. A literary life*:

> In all he gave some 400 paid readings, beginning with eighty-three on his first provincial tour which lasted from August to November 1853, the administrative arrangements being in the capable hands of his manager, Arthur Smith. The American tour lasted from December to April 1868 and Dickens gave a London farewell in January and March 1870 during which he read the *Carol* and the Trial from *Pickwick*. His total earnings from this hugely popular activity were in the region of £ 45 000, thus amounting to nearly half of the enormous sum he left in 1870, £ 93 000, which in contemporary terms means that Dickens died a millionaire.[4]

Zusätzliche Einnahmen bescherten ihm der Verkauf von eigens für die Leseabende zusammengestellten Vorlesungsbüchern, die wiederum den Absatz der Bücher, denen sie entnommen waren, steigern halfen. Obwohl die Lesungen bisweilen wegen der übergroßen Nachfrage tumultuöse Formen annahmen, genoss Dickens das Tourneedasein und den direkten Kontakt mit dem Publikum nach eigenem Bekunden sehr. Das literarische Bad in der Menge hat wahrscheinlich er erfunden und auf einem Niveau kultiviert, wie es von den Nachgeborenen nur noch selten erreicht wurde.

Etwas später, um 1890, ist auch in Deutschland eine literar-ökonomische Zeitenwende zu beobachten. Überall entstehen literarische Gesellschaften (die „Gesellschaft für modernes Leben" in München, die „Freien Litterarischen Gesellschaften" in Hamburg und andere) und mit ihnen die Institution des Autorenabends. Der Lyriker Detlef von Liliencron ist einer der ersten, der in gewerblicher Absicht Lesereisen unternimmt. 1898 schreibt er an eine Freundin in Altona:

> Denken Sie, ich habe mich jetzt entschlossen – es bringt Geld ein, wenn auch nur wenig – ‚vorzulesen'. Ich werde nächstens damit in Düsseldorf beginnen. Von dort, auch um ‚vorzulesen', nach Leipzig fahren […]. Ich muß gestehen, ich habe eine recht große Angst davor. Und lieber ginge ich gegen eine mit Kartätschen geladene Batterie an. Ich habe allerdings eine laute, durchdringende Stimme. […] Na, ich werde sehen, wie's wird.

Es wird mal triumphal werden und mal fürchterlich, und bald schon kommt ein „Impresario" ins Spiel, der mit verdienen will. „Um Geld – und stets nur um sehr karges, kümmerliches – zu ‚verdienen', muß ich meinen eigenen Dreck ‚vorlesen'", klagt er brieflich einem Freund und ein andermal: „Nun

---

[4] Smith 1996, S. 116.

geht's nach Wien, Brünn, Teplitz, Prag, Leipzig, Weimar, Essen, Mühlheim p. p. Als *Leiche* komm ich zurück. Als 60jähriger *muß* ich mich noch vor den Pöbel werfen. Mein Gehirn geht dabei flöten. O Gott!" Dabei ist das Schlimmste nicht einmal die Lesung, sondern das „*Nachher*":

> Wenn ich dann mit 2–3 lieben Menschen in meinem Hotel ein Beefsteak essen und zwei, drei Glas gutes Bier trinken und dann um 12 Uhr zu Bett gehen kann – à la bonne heure! Aber *nach* der Vorlesung mit einemmal hundert und mehr mir gänzlich fremden Menschen vorgestellt zu werden und bis 3, 4 Uhr morgens zusammen zu sitzen, das ertrag ich nur noch diesen Winter.[5]

So ähnlich ist es siebzig Jahre später auch Max Frisch gegangen. In „Montauk" reflektiert er das Gefühl, genau dort ‚neben sich' zu stehen, wo der Veranstalter auf repräsentativen Mehrwert sinnt: danach.

> Nachher ein kaltes Buffet; ich antworte auf dieselben Fragen nicht immer dasselbe. So überzeugend finde ich keine meiner Antworten. Ich blicke einer Dame, während sie spricht, auf ihre nahe guten Zähne, bekomme ein Glas in die Hand und schwitze. Das ist nicht mein Beruf, denke ich, aber da stehe ich.[6]

„Nicht mein Beruf", diese Einstellung konnte sich eine internationale Berühmtheit wie Max Frisch vor nicht zu langer Zeit noch leisten. Für den Autor von heute (und Ausnahmen bestätigen die Regel) ist der öffentliche Auftritt Pflicht, und vielleicht nicht immer eine ungeliebte. Eine kleine Typenlehre des literarischen Auftritts müsste umfassen: die Lesereise durch Buchhandlungen und Literaturhäuser, wie sie inzwischen jeder Verlag für die wichtigeren seiner Autoren organisiert; die Auslandslesung an Goethe-Instituten oder germanistischen Departments, manchmal verbunden mit dem Status eines writer-in-residence; den Messeauftritt und die Teilnahme an Schriftstellertreffen und Lesewettbewerben; die Entgegennahme von Preisen und Erfüllung von Stadtschreiberpflichten; den interdisziplinären Gedankenaustausch zum Beispiel mit Gehirnforschern und vieles andere mehr. Man sieht: Der Phantasie von Veranstaltern sind, was den Einsatz von Schriftstellern angeht, kaum Grenzen gesetzt; mehr und mehr gelten sie als Sachverständige für Themen aller Art, von denen ihr Schreiben oft kaum etwas weiß.

Weniger um die sich ständig weiter ausbreitende literarische Event-Kultur geht es mir hier aber, sondern um die beinahe schon klassisch zu nennende Verlaufsform „Autorenlesung". Allen Nachrufen zum Trotz erfreut sie sich,

---

[5] Zit. nach Tgahrt, S. 262 ff.
[6] Frisch 1976, S. 655.

jedenfalls in Deutschland, steigender Beliebtheit – mit den Literaturhäusern ist ja erst in den letzten Jahrzehnten die Institution erfunden worden, die sich hauptamtlich um literarische Performanz in all ihren Spielarten kümmert. Die Lesung wird vielleicht nie die kulturelle Dignität eines Konzerts oder eines Schauspiels erreichen, aber das tut ihrer Attraktivität keinen Abbruch. Wir alle gehen zu Lesungen, weil uns neben der stillen Lektüre seiner Werke *der Autor als Figur* interessiert: sein Auftreten, seine Präsenz, sein Habitus, seine Sprechweise und nicht zuletzt seine Ansichten von literarischen und außerliterarischen Dingen. Wir gehen zu Lesungen aus Schaulust und aus dem Verlangen nach einer Intimität, wie sie die Begegnung mit dem Text allein nicht gewährt; etwas gibt uns die Überzeugung, wir kämen, wenn wir ihn hören und sehen, dem Autor näher, als wenn wir ihn ‚nur' lesen. Wir wollen dicht am Dichter sein. Obwohl wir alle lesen können, möchten wir doch gerne etwas vorgelesen haben. Ruft nicht jedes Vorlesen und Etwas-Vorgelesen-Bekommen die fürsorgliche Szene der abendlichen Lesestunde zwischen Eltern und Kindern wach? Was man derart in Topoi der bürgerlichen Empfindsamkeit kleiden kann, ist andererseits eine stark ritualisierte Veranstaltungsform, aus der nicht unbedingt *der* Autor als Gewinner hervorgeht, der den vom Publikum kommenden Suggestionen des Privaten erliegt.

Was genau ist eigentlich eine Lesung? Man kann sie beschreiben als eine fünfgliedrige Sequenz von öffentlichen (Sprech-)Handlungen: erstens die (An-)Moderation, zweitens die eigentliche (Vor-)Lesung, drittens das (wiederum moderierte) Gespräch mit dem Publikum samt ‚Abmoderation', viertens die Signierstunde und fünftens das gesellige Beisammensein. Formal betrachtet erfüllt die Lesung damit einige der Bedingungen des performativen Rituals, wie sie in der Ethnologie beobachtet worden sind. Es sind dies nach Stanley J. Tambiah vor allem: „Formalität, Konventionalität, Stereotypie und Rigidität".[7] Solche Attribute rücken die Lesung in die Nähe etwa der liturgischen Form, in der durch ein Äußerstes an Redundanz der Glaube gestärkt werden soll. Anders als in das religiöse Ritual, das in der Regel keine Fragestunde mit Gott vorgesehen hat, ist jedoch in die Lesung ein Fenster für Überraschungen eingesetzt: das Gespräch mit dem Publikum. In ihm kann, zum Leidwesen und manchmal auch zur Freude des Autors wie des Moderators, das schlechthin Unvorhersehbare geschehen. Die Fragestunde im Anschluss an eine Lesung ist ja um vieles unvorhersehbarer als etwa die nach einem wissenschaftlichen Vortrag, weil sie nichts ausschließt: Ein Autor ist anders als ein Wissenschaftler einer, den man alles fragen darf. Aus der beinahe vollständigen Vorhersehbarkeit – ein Autor liest bereits Gedrucktes vor – stürzt also das Leseritual kopfüber in sein Gegenteil. In der Fragestunde ist alles möglich und

---

[7] Tambiah 1998, S. 233.

eines wahrscheinlich: Das Publikum versucht den Autor als Komplizen bei dem Versuch zu gewinnen, hinter den Rücken des Textes zu gelangen, ihm ein Geheimnis zu entreißen, ein Wissen abzulauschen, das an keiner Stelle vorher, und schon gar an keiner Textstelle, explizit geworden ist. Der Autor soll sich ein Stück über das hinaus exhibitionieren, was im Text bereits zu lesen und zu hören war. Er soll Text zum Text liefern, Para-Text und Meta-Text.

Inzwischen hat sich das adäquate Gesprächsverhalten von Autorinnen und Autoren als eine notwendige Begleitkompetenz des Schreibens und Lesens etabliert und herumgesprochen; konsequenterweise vergeben die deutschen Literaturhäuser inzwischen einen gemeinsamen Preis an den Autor, dessen Auftritt den Anforderungen des Publikums und der Veranstalter in besonderer Weise entspricht: Erste Preisträgerin war Ulrike Draesner. Wer ist aber dieses Publikum und was will es in seiner Mehrheit? So wie es auf der Lesung den Autor als Figur kennen lernen will, so will es (sofern es nicht vorwiegend aus Literaturwissenschaftlern besteht) in seinen Figuren den Autor (und andere nicht-fiktive Personen) wieder erkennen dürfen und für diese Spekulation nach Möglichkeit vom Autor selbst die Lizenz erhalten. Man stelle sich zum Beispiel eine Lesung von Martin Walser aus seinem Roman „Tod eines Kritikers" vor und kann sicher gehen, dass keine Frage das Publikum stärker beschäftigen wird als die nach den realen Entsprechungen der im Roman mehr oder minder verschlüsselten Namen. So lebt die Institution der Lesung geradezu davon, dass sie die anderswo (in der Literaturwissenschaft) längst dekretierte Trennung von Autor und Werk, von empirischen und fiktionalen Ichs aufhebt und die planmäßige Verwechslung beider Sphären zur Grundlage eines spekulativen Spiels erhebt, das zumindest die eine der Parteien vergnüglicher findet als die Fiktion selbst.

Jede Lesung, so ließe sich formulieren, tendiert dazu (oder ,ist dazu da'?), Literatur in Leben zu verwandeln. Und mitunter kann es den Anschein erwecken, als werde heutige Literatur bereits auf den Zweck späterer öffentlicher Vorlesung hin verfasst. So wenigstens sieht es mit leichter Verwunderung der ungarische Autor László Földényi, wenn er schreibt:

> Bei der Lektüre zeitgenössischer deutscher Literatur habe ich oft den Eindruck, als würde von vornherein, schon bei der Niederschrift der Werke, mit einkalkuliert, daß später öffentlich daraus gelesen werden soll. Und dadurch wird ,einprogrammiert', daß diese Werke Bestandteile eines riesigen, gut geölten Apparats werden. [...] Das alles führt zu einer fatalen Mittelmäßigkeit.[8]

---

[8] Földényi 2003, S. 137.

Literatur, so könnte man formulieren, wird mittelmäßig, weil sie durch öffentliches Lesen domestiziert wird. Der Literaturbetrieb möchte den Autor aus der relativen Verborgenheit seiner Verfasserschaft heraus auf die Bühne bringen. Er misst dem öffentlichen Wort des Autors eine Bedeutung, ein Gewicht bei, das es ohne diese Verfasserschaft nicht hätte. Auf der Bühne findet sich der Autor wieder als Prominenter, dessen Aussagen über die Stimmung in Deutschland, das Verhältnis der Geschlechter oder die Zukunft des Buches mit einem Mal von öffentlichem Interesse sind. Und drittens verwandelt die Lesung Literatur in Leben, weil sie die Anwesenheit des Autors gern dazu nutzt, ihn an seiner schwachen, das heißt privaten Stelle zu packen und von ihm, gleichsam als Preis der Intimität ein autobiographisches Bekenntnis zu erzwingen, in dem die Trennung von Autor und Werk, Fiktion und Wirklichkeit suspendiert wird.

Welche Miene kann man nun als Autor zu diesem Spiel machen, das nur der böse nennen wird, der an die Reinheit der literarisch-textuellen Immanenz glaubt? Man kann sich entziehen, durch Lesungs-Verweigerung oder wenigstens durch Verweigerung der üblichen Fragestunde, durch Verweigerung von Antworten, die weg vom Text führen oder durch das Bekenntnis von Unzuständigkeit in allen Fragen der Lebenshilfe. Man wird die Verweigerung nach Möglichkeit so kommunizieren, dass sie nicht hochmütig wirkt, denn schließlich sitzt man ja einer raren Spezies gegenüber, nämlich Lesern der eigenen Werke, die als solche bereits einen Bonus verdient haben. Lesungen sind nicht zuletzt Verkaufsveranstaltungen, Instrumente zur Herstellung von Leserbindung, Werbeauftritte vor Multiplikatoren; sonst würden Verlage keine Lesereisen organisieren. So kommt es, dass die meisten Autoren sich dem Reglement mehr oder minder bereitwillig unterwerfen. Ein Dilemma bleibt auch dann; Thomas Steinfeld hat es in einem Essay über den „Schriftsteller und die literarische Dienstreise" einmal wie folgt beschrieben:

> Einerseits verlangt sie [die Lesung, C.B.] gerade die Persönlichkeit des Autors, das heißt das Private, ein Jenseits des Geschriebenen und ein Diesseits von Gut und Böse. Auf der anderen Seite bedeutete das Private wenig ohne dessen öffentliche Geltung in Form von Publikationen. Deswegen tritt die Person des Autors während einer Lesung [...] in einen Gegensatz zu ihrem Werk.[9]

Man kann sich als Autor ganz auf die Seite des Werks stellen und sich auf dem Podium in Schweigen und stammelnde Andeutungen hüllen. Es kann großen Eindruck machen, wenn sich ein Autor, was sein Werk betrifft, für unzuständig erklärt. Man kann aber andererseits das Werk durch allzu große verbale

---

[9] Steinfeld 1988, S. 980.

Offenherzigkeit entwerten oder mit einer all zu sehr aufs Allgemeine gehenden Rede- und Meinungskompetenz sein Partikulares entkräften. Man kann eine Autorschaft durch Schweigen stärken und durch Plaudern aufs Spiel setzen. Man kann sie aber ebenso durch Plaudern stärken und durch Schweigen aufs Spiel setzen. Viel hängt von der Eigenartigkeit des jeweiligen Werkes ab, jedoch: „[I]m Rückbezug des Geschriebenen auf sein ursprüngliches Subjekt verliert in der Regel die Literatur", meint Steinfeld. Sollte man also das Lesen besser lassen?

Betrachtet man das öffentliche Leseverhalten deutscher Schriftsteller der Gegenwart, dann lässt sich an ihm die Bandbreite möglicher Haltungen und Einstellungen zu unserer Frage ermessen. Es gibt Autoren wie Heiner Müller, deren literarischer Ruhm in einer langen Kette von bonmot-gesättigten Fernsehauftritten sanft ausgeklungen ist, bis die öffentliche Wahrnehmung, die Star-Persona den literarischen Primärtatbestand fast überdeckt hatte. Es gibt jemanden wie Peter Schneider, dessen Bücher mehr und mehr zu Vorwänden für öffentliche Auftritte und meinungsstarke Statements wurden, bis sich der primäre Rang seines Werkes als zu fraglich erwies und damit auch das Interesse an seinen Auftritten erlosch. Es gibt einen Autor wie Günter Grass, der offenbar glücklich Autorschaft und öffentliche Geltung zu vereinen weiß, dem dies jedoch nur deshalb gelingt, weil sein Werk selbst so sehr vom Gestus der Zeitzeugenschaft und des politischen Chronisten geprägt ist, dass es einer nicht-literarischen öffentlichen Meinungsäußerung nahe kommt. Auf der anderen Seite des Spektrums findet man die großen Verweigerer, etwa Hans Magnus Enzensberger, der durch bewusste Verknappung seines Lese-Angebots die Nachfrage auf konstant hohem Niveau hält oder Botho Strauß, der öffentliche Auftritte grundsätzlich ablehnt und sich seit Jahren einer strengen Diätetik des literarischen Schweigens unterzieht. Man findet auf dieser Seite auch Peter Handke, der fast nie auf Einladung liest, wohl aber willens war, mit seinem Serbien-Traktat auf Lesereise durch deutsche Hörsäle zu gehen. Wir sprechen hier von Autoren, die sich die Entscheidung leisten können. Viele andere müssen lesen, ob sie wollen oder nicht. Und den meisten wird es gehen wie Max Frisch:

> Ich spiele meine Rolle. Nur im Flugzeug und im Hotel, wo die Veranstalter mich unterbringen, bin ich eine Weile allein und brauche nichts zu glauben, nehme Dusche oder Bad, dann stehe ich am Fenster, Blick auf eine andere Stadt. Ein wenig Lampenfieber jedesmal. Beim Lesen vergesse ich Wort für Wort, was ich lese.[10]

---

[10] Frisch 1976, ebda.

LITERATUR

Földényi, László: Der Autor als Anführungszeichen. Überschattete Liebe zur deutschen Literatur. In: Kursbuch 153 (2003): Literatur. Betrieb und Passion, S. 134–142

Frisch, Max: Montauk. Gesammelte Werke in zeitlicher Folge. Hrsg. von Hans Mayer. Band VI. Frankfurt a. M. 1976, S. 617–754

Rózewicz, Tadeusz: Vorbereitungen zur Dichterlesung. Ein polemisches Lesebuch. Hrsg. von Peter Lachmann. München / Wien 1979

Smith, Grahame: Charles Dickens. A literary life. London 1996

Steinfeld, Thomas: Dichter Tourismus. Der Schriftsteller und die literarische Dienstreise. In: Merkur 477 (1988), S. 978–987

Tambiah, Stanley J.: Eine performative Theorie des Rituals. In: Ritualtheorien. Ein einführendes Handbuch. Hrsg. von Andréa Belliger u. David J. Krieger. Opladen 1998, S. 227–250

Tgahrt, Reinhard (Hg.): Dichter lesen. 1: Von Gellert bis Liliencron. Marbach 1984

Reinhold Schulze-Tammena

POETRY SLAM. PERFORMANCE-POESIE ALS BUHLEN UM DIE PUBLIKUMSGUNST

I. EINLEITUNG: BUHLEN UM DIE PUBLIKUMSGUNST?

Poetry Slam hat sich als publikumsbezogene Literaturperformance – oft auch als Literaturwettkampf – in den letzten zehn Jahren im deutschsprachigen Raum etabliert. Diese Literaturbewegung kommt aus den USA und hat neue Formen des Selbstverständnisses von Autoren und der Beziehung zwischen Autor und Publikum hervorgebracht. Dieser Essay möchte an einigen ausgewählten Texten verschiedene Spielarten dieser Beziehung aufzeigen und sie in das Gesamtphänomen einer wachsenden, lebendigen und sich professionalisierenden deutschsprachigen Literaturbewegung einordnen.

ICH WÜNSCHTE, MEINE ELTERN WÄREN AN IRGENDWAS
SCHULD ODER DIE GESELLSCHAFT
ODER DIESE STUPIDEN
KACKTASSEN HIER IM PUBLIKUM,
ABER AUS HEUTIGER PERSPEKTIVE
MUSS ICH SAGEN, EIGENTLICH
ALLES GANZ NETTE LEUTE

ALLEIN DAFÜR KÖNNTE
ICH SIE HASSEN

Dieser Ausschnitt aus dem Slam Poetry-Text „We are the brain police"[1] von Fatzke Schulmeister wirft bereits ein ambivalentes Licht auf den Titel des vorliegenden Essays. Kann wirklich ganz pauschal vom *Buhlen* der Poeten um die Publikumsgunst gesprochen werden? Die Publikumsansprache in Fatzke Schulmeisters Gedicht bewegt sich im Medium eines mit sich selbst redenden lyrischen Ichs, das sich auf der Textebene zwischen den Extremen von Publikumsbeschimpfung und gespielter Zuneigung bewegt.

---

[1] Schulmeister 2002, S. 62.

Schulmeister hat seinen Text mit Großbuchstaben im Rahmen einer Anthologie abdrucken lassen, was ein typographischer Hinweis darauf sein soll, dass sich der Leser im Rahmen einer Performance „-alles geschrien-" vorstellen solle. Warum? Das verrät der Autor in der Eingangsstrophe seines Textes.

> AUF DEN LETZEN PAAR SLAMS,
> WO ICH WAR, HIESS ES, ICH SEI
> ZU LEISE UND MAN WÜRDE
> MICH KAUM VERSTEHEN.
> DARAN WOLLTE ICH JETZT
> MAL ARBEITEN.

Der Autor inszeniert sich hier als ein Performance-Poet, der vorgibt ausgesprochen lernfähig zu sein, indem er Publikumskritik aufgreift und seinen Vortragsstil ändert. Schulmeister spielt hierbei und im Verlauf des Textes mit der Ambiguität des Wortes „Verstehen", das sowohl akustische Vernehmbarkeit als auch inhaltliches Verständnis bedeuten kann. Dass er sich – um dieses Versprechen der Verstehbarkeit einzulösen – innerlich überwinden muss, sogar gegen seine innere Verfasstheit handeln muss, gibt er ebenfalls lauthals kund:

> ICH BIN EIGENTLICH GAR
> NICHT DER TYP DAFÜR,
> ABER WEM SAG ICH DAS EIGENTLICH.
>   JA, WEM EIGENTLICH?

Im echohaften Gespräch des lyrischen Ichs mit sich selbst wird die Würde des Adressaten in Frage gestellt, und dann beginnt der Sprecher einen Frontalangriff auf die vordergründigen Erwartungen und den schlechten Geschmack des Publikums.

Gleichzeitig erledigt er ironisch seinen Düsseldorfer Kollegen Wehwalt Koslovski, der mit seinem verbalfäkalen artistischen Laut- und Rhythmusgedicht „Nitty Gritty" auf zahlreichen Slam-Veranstaltungen in Deutschland immer wieder größte Beifallsstürme erntet. Schulmeister bietet einen tumben Schüttelreim dagegen auf.

> DIE NITTY GRITTY DIRT
> BAND IM RHYTHMUS
> DER AVERAGE WHITE BAND

> UND BARRY WHITE UND
> CHEFKOCH UND FICKEN,
> UND BUMSEN, UND BLASEN,
> UND IST DER RASEN NASS

MACHT ES AUCH VOR
EINEM MIKRO SPASS

SCHEISSE SCHEISSE SCHEISSE
UND IMMER
AN DIE LESER DENKEN

Sein Selbstbewusstsein als Dichter allerdings scheint, trotz dieser brachialen Inszenierung seines Ekels, herausgefordert zu sein. Er bekennt, dass er eine „ALTE AUSGELEIERTE NÖRGELTRINE" sei und er trägt Neidgefühle gegenüber den erfolgreichen poetischen Konkurrenten auf der Bühne ironisch zur Schau. Er inszeniert ein schwaches Selbstbewusstsein.

ICH GÖNNE DEN ANDEREN
NICHT DIE PUNKTE AUF
DEM BROT IHRES DRITTKLASSIGEN
TINGEL-TANGEL-
KÜNSTLER-DASEINS

ICH VERACHTE SIE
FÜR IHRE KLEINKUNST-
ATTITÜDE ZUTIEFST

DIE PREISWERTEN HUREN
DER POP- UND
PIMMEL-LITERATUR

Die preiswerten, d.h. in diesem Zusammenhang sowohl billig niveaulosen als auch allgemein hochgelobten „Fäkal-Slammer" verwirft Schulmeister im gespielten Selbstgespräch. Seine Kritik richtet sich auch gegen die künstlerischen Ambitionen virtuoser Sprachspieler.

Im Abspann zu seiner Performance gibt Schulmeister noch einmal trotzig zu verstehen, dass er durch ostentatives Übererfüllen der Erwartungen sein Publikum provozieren will. Er revanchiert sich für diese Zumutung, indem er bis zum „ABLAUFEN SEINER LESEZEIT" noch „EINIGE STÄDTE" nennt „SOWIE DIE FLÜSSE, AN DENEN SIE LIEGEN". Damit gibt er dem Text noch einen unerwarteten politischen Dreh. Die Aufzählung endet mit:

STALINGRAD

WOLGA

SARAJEVO

BOSNA

PRISTINA

SCHRÖDER-FISCHER-KANAL

NEW YORK

HUDSON

KABUL

WEISS ICH NICHT.

Mit dieser Schlusssequenz parodiert Schulmeister die durch die Kriegsbe-
richterstattung in den Massenmedien vermittelte banale Erdkunde. Indem er
Städte und Flüsse nennt, die beim Zuhörer automatisch Assoziationen mit
Kriegsereignissen wecken, schlägt er die ihm verbleibende Lesezeit tot.

In diesem lakonischen Selbstgespräch kommt das Publikum als direkter
Adressat auf der Textebene erst gar nicht vor. Es wird ausgegrenzt aus dem
exklusiven Tête-à-tête des lyrischen Ichs mit sich selbst. Auf der Performance-
Ebene etabliert dieser Text aber eine sehr wirkungsvolle Beziehung zum Publikum, weil der Performer durch Techniken der Rollendistanzierung zu einem beifälligen Einverständnis mit dem Publikum über Geschmacksfragen
gelangen kann. Hier werden die interessanten und vielfältigen Beziehungs-
möglichkeiten zwischen Performance-Poeten und Slam-Publikum und die
Strategien zum wirkungsvollen Einsatz von poetischen Texten sichtbar, die im
Hinblick auf die Textgattungen und das Veranstaltungsformat für die Auseinandersetzung mit dem Phänomen des Poetry Slam relevant sind.

II. HAUPTTEIL: PERFORMANCE-POETEN UND IHR PUBLIKUM

1. Slam als Literaturbewegung[2]

Wo und wann wurde der Slam gegründet?

Die Gründungsgeschichte der Poetry Slam-Bewegung liest sich auf der Webseite des Gründungsvaters Marc Kelly Smith folgendermaßen:

> In 1985 a construction worker and poet named Marc Smith started a poetry
> reading series at a Chicago jazz club, the Get Me High Lounge, looking for
> a way to breathe life into the open mike poetry format. The series' empha-
> sis on performance lays the groundwork for the poetry which would even-
> tually be exhibited in slam. In 1986 Smith approached Dave Jemilo, the
> owner of the Green Mill (a Chicago jazz club and former haunt of Al Ca-
> pone), with a plan to host a weekly poetry competition on the club's slow
> Sunday nights. Jemilo welcomed him, and on July 25, the Uptown Poetry

---

[2] Allgemeine Informationen zum Phänomen des Poetry Slam und Links zur Szene im
deutschsprachigen Raum lassen sich auf der von der Märzakademie Stuttgart betreuten
Homepage finden unter: <http://www.merz-akademie.de/projekte/slam/ordner/
wissslam.html>.

Slam was born. Smith drew on baseball and bridge terminology for the name, and instituted the basic features of the competition, including judges chosen from the audience and cash prizes for the winners. The Green Mill evolved into a Mecca for performance poets, and the Uptown Poetry Slam still continues nearly 15 years after its inception.[3]

Die Geschichte vom ehemaligen Bauarbeiter Marc Smith, der das Unerhörte wagt, indem er Autoren zu Wettkämpfen versammelt und so dem Publikum neue unkonventionelle literarische Erlebnisse ermöglicht, gehört zur gern erzählten Gründungserzählung der Slam Poetry-Bewegung.

Über das vitale interaktive Kunsterlebnis der Slam Poetry, die nichts gemein hat mit den Ritualen etablierter Dichterlesungen, berichtet Bob Holmann, der als Mitbegründer des „Nuyorican Poets Café" die Slam-Bewegung in New York heimisch machte.

A poetry slam is a grassroots poetry movement, primarily in the United States, that creates a frame of competition around a poetry reading and enables people to go to a poetry reading without having to admit they are going to a poetry reading. They are going to a slam, which is a sexier event. You go to a slam not hear a specific poet but to see an event that is audience participatory with a lot of heckling and cheering from the audience. Judges selected from the audience rate the poems between a zero – a poem that should have never been written – and a ten – a poem that causes a mutual, simultaneous orgasm throughout the audience.[4]

Die amerikanische Slam-Szene ist nach wie vor sehr lebendig und zeigt eine deutliche Tendenz zur Professionalisierung und Institutionalisierung, was dazu führt, dass die Qualitätsstandards höher und die Zugänge schwieriger werden als in der Gründungsphase.[5]

Was ist Poetry Slam?

Eine enge Definition des Phänomens Poetry Slam stammt von Boris Preckwitz, der sich bereits im Jahr 1997 in einer literaturwissenschaftlichen Pionierstudie mit dem Thema im deutschsprachigen Raum auseinander setzte:

Der Poetry Slam ist eine aus den USA stammende Form des öffentlichen Literaturwettbewerbs, auf dem Autoren mit ihren Texten um die Gunst des Publikums oder einer ausgewählten Publikumsjury konkurrieren.

---

[3] Siehe auch die Webseite des Begründers der Slam Poetry-Bewegung Marc Smith: <http://www.slampapi.com/>.

[4] Quelle: <http://www.geocities.com/palexcosta2000/bobholma.htm>.

[5] Allgemeine Informationen zur amerikanischen Slam-Szene finden sich unter: <http://www.poetryslam.com/index.htm>.

Entscheidend ist beim Wettbewerb die persönliche Vermittlung des Textes durch den Autor, der beim Vortrag seine Arbeit vor den Zuhörern legitimieren muss.[6]

Einen weiteren Begriff von Poetry Slam propagierte der schon erwähnte Gründungsvater Marc Smith in einem Interview mit dem Oldenburger Slam-Aktivisten Tobias Kirsch:

> To think slam is just about competition is a very simplistic way of looking at it. It's really about performance and poetry brought together.[7]

In Marc Smiths Statement wird die Fähigkeit des Autoren, einen selbstverfassten Text vor einem Publikum wirkungsvoll vorzutragen, zum Dreh- und Angelpunkt der Slam-Veranstaltung.

Was heißt Slam?

Mit dem englischen Wort ‚Slam' verbinden sich zahlreiche Bedeutungen und vielfältige Assoziationen. Sprachgeschichtlich wird das Wort auf den altnorwegischen Begriff *slambra* zurückgeführt, was im Deutschen so viel heißt wie *zuschlagen*. Als Substantiv kann ‚Slam' den Stich im Kartenspiel, den Aufschlag oder Treffer im Basketball und den Triumph oder Sieg beim Tennis bezeichnen. Aber auch das Geräusch, das beim heftigen Schlag mit der Hand ins Gesicht oder beim Werfen mit Gegenständen entsteht, wird als ‚Slam' bezeichnet. Die aggressiv vorgetragene Kritik, ein Statement oder der Ausdruck persönlicher Überzeugung wird von dem Begriff im Englischen semantisch abgedeckt. Im amerikanischen Slang wird als ‚Slammer' derjenige bezeichnet, den man im Deutschen einen ‚Knastbruder' nennen würde. Ein ‚Slammer' kann aber auch ein besonders aufwendiger Cocktail sein.

Der vielfältig schillernde Slam-Begriff hat also eine interessante semantische Odyssee hinter sich gebracht, bevor er Mitte der 90er Jahre im Kompositum „Poetry Slam" eine literarische Bewegung und ein Veranstaltungsformat kennzeichnete. Als „Slam poetry" werden dagegen insbesondere die für die Performance geeigneten Texte bezeichnet.[8]

---

[6] Boris Preckwitz: <http://www.slamburg.de>.

[7] Kirsch / Smith 2001, S. 142.

[8] Im Internet findet sich unter: <http://www.thefreedictionary.com/slam>, eine umfassende Beschreibung über Bedeutung und Verwendung des Slam-Begriffs im Englischen:
Slam Noun
1. slam – winning all or all but one of the tricks in bridge sweep, bridge – any of various card games based on whist for four players; triumph, victory – a successful ending of a struggle or contest; „the general always gets credit for his army's victory"; „the agreement was a triumph for common sense"; grand, slam – winning all of the tricks in a hand of bridge; little slam, small slam – winning all but one of the tricks in a hand of bridge.

Wie hat sich der Slam in Deutschland entwickelt?

Geburtshilfe für die deutsche Slam-Bewegung leisteten engagierte Einzelpersonen und verschiedene Kulturinstitutionen.

So lud die Berliner Literaturwerkstatt 1993 die in den USA anerkannten Slam-Autoren zu Lesungen nach Berlin ein. Die vom Galrev Verlag in diesem Zusammenhang produzierte Anthologie „Slam! Poetry" war eine der ersten Publikationen zu diesem Phänomen.

Entwicklungshilfe leistete beispielsweise auch das Goethe-Institut in New York, das im Jahr 1995 ausgewählte deutsche Autoren zu einem deutschsprachigen „Nuyorican Poetry Festival" versammelte.

Der Rowohlt Verlag, der im Jahr 1996 mit einem Sammelband „Poetry! Slam!"[9] dem neuen Literaturphänomen Richtung geben wollte, verfehlte aber mit der Einreihung der Texte in die „Pop-Fraktion" das Selbstverständnis zahlreicher Slam-Poeten. Das Mikrofon auf dem Cover und die orange Hintergrundfarbe blieben dagegen stilbildend für andere Publikationen.

Wieweit diese Initiativen der Slam-Bewegung eine Richtung vorgaben, muss sicherlich im Einzelnen geprüft werden. Die deutsche Slam-Geschichte beginnt 1995. Das Berliner „Ex'n Pop" und das Münchener „Substanz" waren die ersten deutschen Clubs, in denen Poetry Slams veranstaltet

---

2. slam – the noise made by the forceful impact of two objects noise – sound of any kind (especially unintelligible or dissonant sound); „he enjoyed the street noises"; „they heard indistinct noises of people talking"; „during the firework display that ended the gala the noise reached 98 decibels."
3. slam – a forceful impact that makes a loud noise; impact – the striking of one body against another.
4. slam – an aggressive remark directed at a person like a missile and intended to have a telling effect; „his parting shot was ‚drop dead'"; „she threw shafts of sarcasm"; „she takes a dig at me every chance she gets."
gibe, jibe, barb, dig, shaft, shot; comment, remark – a statement that expresses a personal opinion or belief; „from time to time she contributed a personal comment on his account"; cheap, shot – an unnecessarily aggressive and unfair remark directed at a defenseless person.
Slam Verb
1. slam – close violently; „He slammed the door shut" bang, shut, close – move so that an opening or passage is obstructed; make shut; „Close the door"; „shut the window."
2. slam – strike violently; „slam the ball" bang hit – deal a blow to, either with the hand or with an instrument; „He hit her hard in the face."
3. slam – dance the slam dance mosh, slam dance, thrash.
trip the light fantastic, trip the light fantastic toe, dance – move in a pattern; usually to musical accompaniment; do or perform a dance; „My husband and I like to dance at home to the radio."
4. slam – throw violently; „He slammed the book on the table" flap down throw – project through the air; „throw a frisbee".
[9] Neumeister / Hartges 1996.

wurden.[10] Seit Mitte der 90er Jahre etablierten sich unter Aufbietung eines hohen persönlichen Engagements einzelner slambegeisterter Poeten in Köln, Hamburg, Düsseldorf, Stuttgart und zahlreichen anderen Städten in Deutschland neue Clubs mit ihren Lesebühnen. Sie erzeugten auch mit Hilfe der Medien eine große Publikumsresonanz.[11]

Als am 3. Oktober 1997 im „Ex'n Pop" in Berlin mit 15 Teilnehmern die erste deutsche Slam-Meisterschaft stattfand, ahnte niemand den Hype, der schließlich in der Gründung des ersten „German International Poetry Slam" (GIPS) in Hamburg 2001 mündete. 50 Teilnehmer aus 30 Städten und 15 Teams aus Deutschland, Österreich und der Schweiz nahmen teil. Es folgten Bern 2002 und Darmstadt / Frankfurt a. M. 2003 mit mehreren tausend Zuschauern. Diese Veranstaltungen sind zum Gradmesser der voranschreitenden organisatorischen, finanziellen und ästhetischen Professionalisierung der Slam-Bewegung im deutschsprachigen Raum geworden.[12]

2. Slam als Veranstaltungstyp –
Wie funktioniert ein Poetry Slam?

Der Slam: Akteure, Rollen und Rituale

Auch wenn gerne hervorgehoben wird, dass der Poetry Slam für „Spontaneität, Subjektivität und Kompromisslosigkeit"[13] stehe, so ist es doch mitnichten ein „Spiel ohne Grenzen oder ohne Regeln". Akteure, Rollen und Rituale stehen relativ fest. Der Slam findet normalerweise einmal monatlich, an einem bestimmten Tag und an einem etablierten Veranstaltungsort statt. Zu Beginn der Veranstaltung erklärt ein Master of Ceremonies als Moderator dem Publikum und den Poeten die Spielregeln des Wettkampfs, ermittelt eventuell eine Publikumsjury und stellt den Ablauf des gesamten Abends und speziell eingeladene Gäste vor.

Beim Stuttgarter Slam lesen z. B. zehn Dichter bzw. Dichterinnen, von denen fünf bereits vorab feststehen. Am Abend werden dann fünf weitere durch das Los bestimmt. Die Slots für eine Leseperformance sind in der Regel drei bis zehn Minuten lang. Bei Zeitüberschreitung pfeift ein Zeitwächter die Per-

---

[10] Der Slam im Schöneberger „Ex'n Pop" wurde inspiriert von Rick Maverick und Priscilla Be, die die Idee aus den USA importierten und den Besitzer des Clubs Rolf Wolkenstein überzeugen konnten.
In München begann der Radiojournalist Karl Bruckmaier 1995 im „Substanz" damit, Slams zu veranstalten. Bruckmaier war inspiriert worden von seinem Slam-Erlebnis im „Nuyorican Poets Café".

[11] Preckwitz 1997, S. 55–62.

[12] Pospiech / Uebel 2002, S. 164.

[13] Blümner 1998.

formance ab. Oft finden zwei Staffeln statt, deren jeweilige Sieger im Finale gegeneinander antreten.

Applausstärke bzw. Missfallenskundgebung des Publikums oder Punktwertung einer Publikumsjury dienen als Gradmesser für den Beifall, den Texte und Performance gefunden haben. Die anschließende Siegerehrung läuft ebenfalls nach oft ostentativ lächerlich gemachten Mustern ab. Hier werden ein Wanderpokal, ein Ring aus einem Kaugummiautomaten, Plastikrosen etc. vom Master of Ceremonies oder seinen Helfern übergeben, die zur Teilnahme beim nächsten Slam verpflichten, aber auch zur Rückgabe der Trophäe, sofern der Sieger diesen nicht wieder gewinnt.

Der Slam und seine Poeten

Alle waren sie da: der sensible Lyriker mit dem Schmachtblick hinter der John Lennon Brille, der polternde Heavy Punk mit einer Mordswut im Bauch, der Freestyle MC, der so schnell rappte, dass er mitunter seinen eigenen Gedanken nicht folgen konnte, der theatralische Esoteriker mit seinen Drogenvisionen und der versoffene, puren Unsinn faselnde Boheme.[14]

Mit diesem generalisierenden „alle waren sie da" versuchte das deutsche Feuilleton zeitweise die Slam-Bewegung mit einer Art hemdsärmeliger Anthropologie, die auch vor den krassesten Stereotypen nicht zurückschreckte, zu entlarven. Diese Zeiten sind vorbei. Dennoch ist dieses Beispiel aus einem Artikel von Peter Gruner lehrreich. Gruner verkennt, dass die meisten Slam-Poeten nach mehrmaligen Auftritten ganz strategisch beginnen, authentisch wirkende Autorenrollen auszubilden, um damit ihren Wiedererkennungseffekt im Publikum zu erhöhen: Der Schüchterne, die Rebellin, der Perverse, die Intellektuelle, der Gedankenvolle usw. sind solche Rollen. Egal welche Rolle die jeweiligen Slam-Poeten spielen, ob durchgestylt oder in sich widersprüchlich, sie sehen sich vor die „Situation von Kurzstreckenläufern" gestellt.[15]

Der Slam-Poet trägt im kurzen Moment auf der Bühne die volle Verantwortung für die Eingängigkeit seines Vortrags und den Erfolg seines Textes, die nicht unbedingt auf der Verständlichkeit oder Klarheit des Textes basieren müssen. Denn die Performance-Qualität spielt parallel eine weitere zentrale Rolle. Deshalb ist die nonverbale Kommunikation (Bühnenpräsenz, Körpersprache und Kleidungsstil) genauso relevant für die Kommunikation mit dem Publikum wie der Rhythmus und Klang der Sprache, ferner die Artikulations-

---

[14] Gruner 2002.
[15] Interview mit Timo Brunke am 09. Mai 2003.

fähigkeit und die Modulation der Stimme. Der Slam-Poet muss „den Luftdruck im Raum richtig einschätzen", meint der Slam-Experte Timo Brunke. Zu den Lehren des Altmeisters Marc Smith gehört es, auf die schwer definierbare vor- und zurückweichende Energie des Publikums einzugehen, das Anbranden und Abflauen der Emotionen wie einen Text zu lesen und in die eigene Performance miteinzubeziehen.

Der Slam und sein Publikum

„Slam-Poetry-Varietees [seien] laute Massenveranstaltungen, Musikantenstadl für Studenten – das der Literatur gewöhnlich eigene kontemplative Element wird in Lärm aufgelöst"[16] so lautet Martin Schröders Abrechnung mit dem Poetry Slam im Feuilleton der „Berliner Zeitung" noch im Jahr 2003. Er trifft damit exakt den von den Slam-Protagonisten so sehr geschätzten, in konservativen Feuilletons aber immer verhaltener geäußerten bildungsbürgerlichen Angst-Neid-Komplex vor dem Erfolg von vorgeblicher ‚Alltagsliteratur', der aber von der Slam-Bewegung zur Selbststilisierung als Avantgarde nur zu gerne akzeptiert wird. Dass Literatur gewöhnlich kontemplativ sei, ist in diesem Zusammenhang eine Geschmacksfrage, nicht jedoch eine ewiggültige Stilnorm. Eine solch willkürliche Norm wird auch durch die Tradition der antiken bzw. mittelalterlichen Dichterwettkämpfe und durch frühneuzeitliche Vorlesetraditionen an sich schon in vielfältiger Weise widerlegt.

Der Bruch mit den Ritualen der ‚typischen Wasserglaslesung' gilt in der Slam-Bewegung, so vordergründig es sein mag, als Qualitätsmerkmal. Deshalb stört es die Menge der aufmerksam lauschenden Zuhörer auch nicht, wenn sich andere Gäste unterhalten, essen oder einige am Tresen noch eine Flasche Bier holen.[17] Das Catering gehört zum Flair solcher Veranstaltungen.

Untersuchungen zur sozialen Zusammensetzung des Publikums bei Slam-Veranstaltungen nach Alter, Geschlecht, Bildungsgrad und Herkunft dürften nicht mehr lange auf sich warten lassen. Es findet sich ein junges Nach-68er-Publikum ein, der Männer- und Frauenanteil im Publikum hält sich die Waage, aber die Bühnen werden nach wie vor zu 80 Prozent von Männern dominiert. Hier klafft übrigens eine Lücke im sonst so libertären Selbstverständnis der Slam Poetry-Bewegung.

Soziale Beziehungen im Publikum

Der Dualismus oder sogar die Konfrontation zwischen Autor und Publikum ist nicht so scharf ausgeprägt wie es oft betont wird und wie es auf den ersten Blick erscheinen mag. Jeder der Autoren ist selber Teil des Publikums und für

---

[16] Schröder 2003.
[17] Fellinghauer: <http://www.rhein-main.net>.

jeden Autoren gibt es im Publikum eine Anhängerschaft: Freunde, Bekannte oder Fans. Diese sind für ihren Wettkämpfer bereit, Stimmung zu machen und solidarisch zu sein, wenn er oder sie vor dem Publikum insgesamt keine Anerkennung findet. Diese sozialen Beziehungen sind darüber hinaus wichtig für die Mobilisierbarkeit von Zuschauern für den Slam und die Formen der bislang sehr nachhaltigen Gemeindebildung.

3. Die Beziehung von Poet/in und Publikum in Slam Poetry-Texten

Die vielfältigen Aspekte der Beziehung von Slam-Autoren und ihrem Publikum manifestieren sich natürlich in der konkreten Performance, aber sie werden implizit und explizit auch in den Texten selbst ausgedrückt, reflektiert und kritisiert. An vier sehr unterschiedlichen Texten soll diese Beziehung näher analysiert werden.

Die Vorbeterin im Einklang mit der Gemeinde – Etta Streicher: handy unser

Die Performance-Poetin Etta Streicher (Wiesbadener Slam) tritt mit ihrem Performance-Text „handy unser" im Gewand einer Priesterin vor ihre Publikumsgemeinde. Sie parodiert in ihrem „Gebet" einen der bekanntesten Sakraltexte des Christentums. „handy unser im himmel / geheiligt werde dein name, dein empfang komme / deine verbindung entstehe / wie im supermarkt so auch auf der straße / unsere tägliche sms gib uns heute" [Z. 1–6].

Durch die schlichte Ersetzungsmethode, die die syntaktische Struktur des „Vater Unsers" nicht antastet, wird das Mobiltelefon gottgleich zum Dreh- und Angelpunkt dieses Gebets: „und vergib uns unseren klingelton / wie auch wir vergeben unserem akku / und führe uns nicht in das funkloch / sondern erlöse uns von der rechnung / denn dein ist der soziale kontakt / und das wichtigsein / und die erreichbarkeit in ewigkeit / erbarmen" [Z. 7–14]. Die göttliche Allmacht des Mobiltelefons besteht in seiner Allgegenwart. Die ‚Priesterin' entlarvt eine kollektiv geteilte Sehnsucht nach Erreichbarkeit und Wichtigsein. Der Text baut als didaktische Satire letzten Endes auf ein mit dem Publikum geteiltes banales Einverständnis, dass die Vergötzung des Mobiltelefons oder die mit ihm verbundenen Rituale eine Form moderner Hysterie und Hybris sind.

Der Schwache legt das Publikum auf's Kreuz – Jaromir Konecny: Wie Tschechen ins Fernsehen kommen

Der Prosatext „Wie Tschechen ins Fernsehen kommen"[18] des Münchener Slam-Stars Jaromir Konecny erzählt aus der Ich-Perspektive, wie der Wunsch durchs Fernsehen berühmt zu werden, eine Situation der Selbstüberwindung

---

[18] Konecny 2002, S. 54–58.

und -vergewaltigung erzeugt. Karin, die Freundin des Ich-Erzählers, will als Domina in der Sendung „Das bizarre Schlafzimmer" auftreten. Sie entscheidet, dass ihr Freund als Sklave auftritt. „Das wird für dich nicht so schwierig sein, du bist doch Tscheche." [S. 55] Die Exhibition im Fernsehen wird von Karins Eltern und Freunden nicht als Skandal, sondern als längst erwarteter Karrieresprung betrachtet.

Der Ich-Erzähler lässt sich widerwillig auf Karins Wunsch ein und wird so schließlich zum Objekt der Freundin, der Macher und Voyeure im TV-Set. Als er sich bis auf die Unterhose ausziehen soll, steigt er noch kurz vor Beginn der Sendung aus. „Noch nie war jemand so glücklich, nicht berühmt geworden zu sein", stellt er fest, als er beim Herausgehen des neurotischen, exhibitionistischen und in jeder Hinsicht gestörten Publikums ansichtig wird.

Unten im Gebäude gab es einen höllischen Andrang: Sadomasochisten, Nekrophile, im Intimbereich Gepiercte, Frauen mit Silikonbusen, Zahnprotesen-Fetischisten, triebhafte Grabschänder, überzeugte Bettnässer, Hinterbliebene mit akutem Ödipuskomplex, [...] von Außerirdischen vergewaltigte Frauen und Männer [und solche], die es mit Außerirdischen getrieben haben. [S. 57]

Konecny dreht hier plötzlich den Spieß um. Die vermeintliche Position der Schwäche seines Ich-Erzählers verwandelt er in eine Position der Stärke als er sein Slam-Publikum zwingt, sich gegen das von ihm als zwanghaft schaulustig und exhibitionistisch beschriebene TV-Publikum zu solidarisieren. Der souveräne Erzähler beginnt in der Maske des Schwachen mit seinem Publikum zu spielen. Weder Mitleid noch Schadenfreude, sondern Solidarität fordert er schließlich von seinem Slam-Publikum, dem er keine attraktivere Alternative anbietet als sich seinem Urteil anzuschließen.

Der Gegensatz von Ich und Du löst sich poetisch auf – Xóchil A. Schütz: flamingo und gnu

Das von der Berliner Slam-Meisterin Xóchil A. Schütz (ehm. Süd*Slam Berlin) verfasste Liebesgedicht: „flamingo und gnu"[19] nimmt die Zuhörer in den inneren Monolog einer Frau nach der ersten Liebesnacht mit einem fast noch Unbekannten hinein.

> ich bin ein flamingo und du bist ein gnu
> wir können nicht schlafen, wir decken uns zu
> es ist sommer, du hustest, ich denk ein gedicht
> hinterm vorhang zwitschert das morgenlicht.

---

[19] Schütz: <http://www.xochillen.de/text.htm>.

Während der Mann einschläft, betrachtet sie ihn eingehend. Sie, in der Rolle des erhabenen Flamingos, der auf einem Bein zu stehen vermag, nimmt ihn, der im Schlaf „schnarcht" und „hustet", der „nicht hübsch" ist, aber „etwas weise", als Gnu wahr. Noch im müden Nicht-einschlafen-können überlegt sie, ob die Beziehung zweier so exotischer Wesen, die verschiedener nicht denkbar sind, überhaupt eine Zukunft hat, oder ob sie besser nach Hause fahren soll. Mit der verschwommenen Frage: „Ich... und du?" schläft sie schließlich ein.

Das Ich spricht zum Du. Der „flamingo" spricht zum „gnu". Die Performance-Poetin zu ihrem Publikum. Durch diese Rollenverteilung rückt das Publikum zunächst stellvertretend in die Rolle des angesprochenen Du. Das Publikum wird hier nicht – wie so oft in erotischer Dichtung – in die Position eines Voyeurs gedrängt. Vielmehr erhält es in den Metaphern vom „flamingo" und „gnu" zwei Identifikationsangebote, von denen keines in besonderer Weise privilegiert wird. Der Gegensatz von Ich und Du löst sich schließlich im Schlaf auf und markiert das Ende des Gedichts, aber eben noch nicht der Beziehung.

Der Messias feiert seine Auferstehung im brandenden Applaus – Timo Brunke: Sla:m: ..! / ..spuckeverdunkelung..

Der Text des Stuttgarter Perfomance Poeten Timo Brunke „sla:m:..! / – ..spuckeverdunkelung.."[20] macht die Beziehung zwischen Autor und Publikum explizit zum Thema und reflektiert die Emotionen eines noch unerfahrenen Poeten in den verschiedenen Phasen einer Slam Poetry-Veranstaltung.

Zunächst ist da die Spannung vor der Wettkampfsituation. Sie wird in Timo Brunkes Ansprache mehrfach metaphorisch aufgerufen. Einmal greift der mit Du angesprochene Poet, der sich freiwillig zum Wettkampf gestellt hat, aus Angst vor der eigenen Courage zur Flasche: „ruhmfurcht sucht rúum" [Z. 13]. Ein anderes Mal hält der Poet fragend nach den Konkurrenten und den Methoden des poetischen Gefechts Ausschau, was Brunke durch einen geschickten Zeilensprung semantisch eng verknüpft:

...wer tritt gegen wen
an... [Z. 14–15]

Fast einem Teufelspakt gleich, hat sich der junge Slamer auf die üblichen Prozeduren eingelassen. Wer sich auf die Liste einschreibt, zahlt mit dem eigenen Werk, nicht mit Geld.

...du zahlbar geworden an der kasse mit dem eigenen namen der stift kratzt über die liste krakelgramm eintritt... [Z. 8]

---

[20] Brunke 2002, S. 15–16.

Aber seitdem führt das lockere Lehnen am Tresen und das Beobachten des Geschehens bei ihm nicht mehr zur inneren Beruhigung.

> rinnt dir trotz eisglas der
> schweißsaft – [Z. 12]

Die Formen der Angst werden bereits im Jagdmotiv ridikülisiert: „...rehkitz geduckt hinterm furchtbusch..." [Z. 7]. Die Ziehung des Namens und das An- pinnen, kurz nach dem Gang zur Toilette, wird in parodistischer Anspielung auf die Kreuzigung zur Todesgefahr stilisiert.

> ... dann das los tigert im kübel ge-
> scheucht eine hand nagelt das schicksal angezettelt
> nägel entgreifen den dichter der meng... [Z. 17]

Noch am Mikrofon sitzt dem unbekannten Poeten die „...angst vorzuverot- ten..." [Z. 26], d.h. schon versagt zu haben, bevor man angefangen hat, im Nacken. In saltatorischen Wort-, Sinn- und Zeilensprüngen wird die Verschär- fung der Angst in Timo Brunkes Text sprachlich wirkungsvoll ausgedrückt. Ein begrüßendes „Hallo Hamburg" ist schließlich alles, was der Zuhörer von dem Vortrag des anonymen Poeten erfährt. Nur soviel erfährt der Zuhörer: Als der junge Poet endlich in Fahrt kommt und Sicherheit zu gewinnen scheint, stoppt ihn die gnadenlose Jury. Zeitüberschreitung!

> ...die Jury sticht ab die Wortsau
> blutlacht die spucke am kabel... [Z. 37]

Sein Vortrag verendet in aller Öffentlichkeit wie ein Schwein im Schlachthaus. Obwohl die Jury dem poetischen Ausleben auf der Bühne ein definitives Ende bereitet hat, gibt es eine Rettung. Timo Brunke zitiert parodistisch den Aufer- stehungsmythos.

> ...ein engel gibt dir zu trinken zeitsaft trock-
> ner sand: spuckeverdunkelung und dann:
> publikumsbrandung die gischt der hände
> morgenröte der hand und münder du
> aus dem häuschen na
> al
> s
> o
> war doch im grunde ganz einf'
> ach [Z. 45]

Das Publikum ist also der rettende Engel. Ihm hat die Darbietung gefallen. Das Publikum glaubt an den Poeten und bekundet durch brandenden Ap-

143

plaus seine volle Zustimmung, auch gegen das Verdikt der Jury. Schließlich lässt Brunke den Text in einem Seufzer der Erlösung auslaufen.

Der Text „sla:m: ..! / ..spuckeverdunkelung.." ist vom Duktus her weniger ein Wettkampfgedicht, als vielmehr ein Einstimmungstext für einen Poetry Slam. Der Text soll das Publikum für die Emotionen der in den Startlöchern stehenden Wettkampfteilnehmer sensibilisieren. Der mit „Du" adressierte unbekannte Slam-Autor steht pars pro toto für jedermann, der an einem solchen Abend die Bühne betreten wird. In anspielungsreichen barocken Wort- und Satzkaskaden geht Timo Brunke mit seinem Publikum alle Stationen einer solchen Veranstaltung ab: den Gang zum Veranstaltungsort, das Einschreiben in die Liste der zu losenden Autoren, das Lehnen am Tresen und das bange Warten auf den potenziellen Auftritt, den Ruf auf die Bühne und den Gang zum Mikrofon, die scheuen Begrüßungsworte „Hallo Hamburg" und den eigentlichen Vortrag, den Abpfiff durch die Jury wegen Überschreitung der Zeit, den dennoch brandenden Publikumsapplaus und die eigene Erleichterung. Die Masse des Publikums erkennt kollektiv die Qualität der Darbietung und rettet den Poeten vor den Irrtümern einer kunstfeindlichen Jury.

In dieser didaktischen und quasi therapeutischen Funktion dürfte der Text einem Master of Cermony gut zu Gesicht stehen, der seine Rolle als sensibler Moderator, aber eben auch als poetische Autorität unter Beweis stellen will und das Publikum stark machen möchte.

III. SCHLUSSTEIL: WARUM IST POETRY SLAM SO POPULÄR?

Die Poetry Slam-Bewegung hat in den letzten fünf Jahren einen kräftigen Professionalisierungsschub erfahren. Verlage, Sender und Sponsoren sind im deutschsprachigen Raum auf diese Bewegung aufmerksam geworden. Die Performance-Poeten sehen sich aber auch untereinander einem gewissen Professionalisierungsdruck ausgesetzt, die eigene Sichtbarkeit durch Webseiten, CDs, Publikationen, Poetry Clips, Ausbildung oder Marketing zu erhöhen. Wieweit dieser Professionalisierungsschub die Slam-Bewegung im deutschsprachigen Raum fördert oder behindert, ist natürlich nicht vorhersehbar.

Gründe für die Erfolgsgeschichte des Poetry Slam in Deutschland seit Mitte der 90er Jahre namhaft zu machen, ist nicht einfach. Poetry Slam ist sicherlich nicht zuletzt so überaus erfolgreich wegen seiner Mischung aus Planung und Zufall. Bei der Programmgestaltung können z.B. im Voraus genauso viele Autoren eingeladen werden, wie während der Veranstaltung durch Losziehung bestimmt werden. Hierdurch kann der Veranstalter im Voraus Qualität und Stil des Slams mittelbar steuern. Ferner gibt es eine günstige Balance zwischen verabredeten Spielregeln und kreativen Spielräumen. Zu den Spielregeln auf der Bühne gehört die rigide Zeitbeschränkung, die Verpflichtung eigene Texte zu lesen und zwar ohne Hilfsmittel. Im Rahmen dieser Vorgaben sind die poetischen Spielräume ganz unabhängig vom Publikumsgeschmack sehr groß.

Im Slam trägt sicherlich auch der konstruktive Regelkreis von Wettkampf und Solidarität positiv zur Gemeindebildung bei. Die Wettkampfsituation weckt den Ehrgeiz der Poeten, auf lokaler oder überregionaler Ebene zu brillieren. Sie schafft aber auch ein Gemeinschaftserlebnis, eine Situation des Erfahrungsaustauschs und des gemeinsamen Arbeitens an Texten. Diese Slam Poetry-Veranstaltungen sind öffentlich für jeden, der mitmachen will, zugänglich. Der Slam-Poet steht in der Regel nicht vor einem vollkommen anonymen Publikum, sondern er wird heimlich oder offen unterstützt von Freunden, Bekannten oder Fans. Die Slam-Lesungen finden kontinuierlich statt, meist einmal im Monat an festen Terminen. Das Publikum kann sich auf den Termin einstellen und die Veranstaltung spontan besuchen, sei es als Zuhörer oder Performer. Die interaktive Einbeziehung des Publikums in die Performance, die Möglichkeit, Zustimmung und Ablehnung zu äußern, und ihre direkte Auswirkung auf Sieg oder Niederlage der Poeten, erzeugt eine starke Motivation, an solchen Events teilzunehmen.

Insgesamt kann man sagen, der Poetry Slam passt hinsichtlich seiner Strukturen außergewöhnlich gut in den Alltag einer von den Massenmedien und ihren Sendeformaten beherrschten Welt und sei es nur deswegen, weil die in Slam-Veranstaltungen vorausgesetzte Aufmerksamkeitsspanne auf die Konsumgewohnheiten des Publikums zugeschnitten ist.

Die Arbeit des Performance-Poeten auf der Bühne ist mitnichten ein Buhlen um die Publikumskunst, vielmehr wird bei der Produktion und Rezeption von Slam Poetry ein wechselseitiger Lernprozess in Gang gesetzt, der im Kleinen wie im Großen noch nicht abgeschlossen ist. Was dem Publikum an Hörverständnis abverlangt wird und was Performance-Poeten zu dessen Sensibilisierung beitragen können, möge abschließend das Statement des Stuttgarter Slam-Poeten Andreas Grimm in Erinnerung rufen: „Es fehlt nicht an Poeten! Es fehlt an Ohrenärzten!"[21]

---

[21] Grimm 2003, S. 47.

LITERATUR

Blümner, Heike: Einblicke in die Dichterpsyche. In: Berliner Zeitung (26.01.1998)

Brunke, Timo: sla:m:...! / –..spuckeverdunkelung... In: Pospiech / Uebel, S. 15–16

Fellinghauer, Dirk T.: Poetry Slams schaffen Literatur Erlebnisse der anderen Art. In: <http://www.rhein-main.net>

Grimm, Andreas. In: Wort ab... Das Magazin zum Poetry Slam. Hrsg. von Jan Sieger. 2003, S. 47

Gruner, Peter: Poetry Slam im muffigen Franken. In: raumzeit.zeitung für den großraum nürnberg-fürth-erlangen. Nr. 13. (Februar 2002). In: <http://www.raumzeit-online.de>

Kirsch, Tobias / Smith, Marc: Slam is not a freak show. In: Social beat. Slam! Poetry. Hrsg. von Michael Schönauer u. Joachim Schönauer. Asperg 2001, S. 142

Konecny, Jaromir: Wie Tschechen ins Fernsehen kommen. In: Pospiech / Uebel, S. 54–58

Neumeister, Andreas / Hartges, Marcel (Hgg.): Poetry! Slam! Texte der Pop-Fraktion. Hamburg 1996

Preckwitz, Boris: Slam Poetry. Nachhut der Moderne. Berlin 1997, S. 59–62

Pospiech, Hartmut / Uebel, Tina (Hgg.): Poetry Slam Jahrbuch 2002/2003. Hamburg 2002

Schröder, Martin: Zweites Internationales Literaturfestival. In: Berliner Zeitung (18.09.2003)

Schulmeister, Fatzke: We are the brain police. In: Pospiech / Uebel, S. 58–65

Schütz, Xóchil A.: flamingo und gnu. In: <http://www.xochillen.de/text.htm>

Namensregister

ZU DEN AUTORINNEN UND AUTOREN

Christoph BARTMANN
Dr. Christoph Bartmann, Jahrgang 1955. Seit 1999 Leiter des Goethe-Instituts Kopenhagen. Studium der Germanistik und Geschichte in Düsseldorf und Wien; 1982 Promotion in der Germanistik. 1983–84 Lehrbeauftragter an der Universität Wien; 1985–88 DAAD-Lektor für deutsche Sprache und Literatur an der Universidade Nova, Lissabon; seit 1988 Tätigkeit im Goethe-Institut (Santiago de Chile, Düsseldorf, Prag, München). Mitarbeiter im Feuilleton der *Frankfurter Allgemeinen Zeitung* (1995–2001) und der *Süddeutschen Zeitung* (seit 2001); zahlreiche Aufsätze, v.a. zur österreichischen Literatur; Buchveröffentlichungen u.a.: *Suche nach Zusammenhang. Handkes Werk als Prozeß*, Wien 1984; *Prag – Das Insider-Lexikon*, München 1994.

Thomas EICHER
Dr. Thomas Eicher, Jahrgang 1963. Studium der Germanistik und Anglistik in Bochum; 1993 Promotion in der Germanistik. Nach diversen Stipendien und Lehraufträgen 1996–2000 wissenschaftlicher Mitarbeiter am Institut für deutsche Sprache und Literatur der Universität Dortmund; 2001–03 Leiter des Auslandsinstituts der Auslandsgesellschaft Nordrhein-Westfalen in Dortmund. Mitherausgeber mehrerer Buchreihen, u.a.: Lesen und Medien, Athena, Oberhausen: 16 Bde. seit 1997; zahlreiche Aufsätze zur Literatur des 18., 19. und 20. Jahrhunderts, zur Hochschuldidaktik sowie zur Leserforschung; Buchveröffentlichungen u.a.: *LeseNotStand?*, Bochum 1996; *Zwischen Leseanimation und literarischer Sozialisation*, Oberhausen 1997; *Lesesozialisation und Germanistikstudium*, Paderborn 1999; *Leuchtturmprojekt Lese(r)förderung*, Oberhausen 2000; *Arbeitsbuch: Literaturwissenschaft*. 3. Aufl., Stuttgart 2001.

Rüdiger GÖRNER
Prof. Dr. Rüdiger Görner, Jahrgang 1957. 1991–2004 Professor of German und Director of Research an der Aston University in Birmingham; 1999–2004 Direktor des Institute of Germanic Studies der University of London. Seit 2004 Professor of German am Queen Mary College der University of London. Zahlreiche Aufsätze und Buchveröffentlichungen zur deutschsprachigen Literatur des 18., 19. und 20. Jahrhunderts, u.a.: *Die Kunst des Absurden*, Darmstadt 1996; *Nietzsches Kunst – Annäherungen an einen Denkartisten*, Frankfurt a. M. / Leipzig 2000; *Grenzen, Schwellen, Übergänge. Die Ästhetik des Transitorischen*, Göttingen 2002; *Rainer Maria Rilke: Im Herzwerk der Sprache*, Wien 2004.

Walter GROND

Walter Grond, Jahrgang 1957. Schriftsteller. 1986–96 Leiter des Literaturreferats im Forum Stadtpark Graz und zwei Jahre Vorsitzender; Veranstalter von Literatursymposien im steirischen herbst; 1990 bis 1995 Gestaltung der Literaturfactory ABSOLUT; bis 2000 Koordinator der österreichischen Partnerschaft am Netzwerk der Zufluchtstädte (Internationales Schriftstellerparlament Straßburg); 2002 als literarischer Gast am Collegium Helveticum der ETH Zürich Betreuung des Projekts „Schreiben am Netz. Literatur im digitalen Zeitalter". Webprojekt: house-salon.net (über das Fremde und die Peripherie). Ehemaliger Herausgeber der Zeitschriften *Nebelhorn, ABSOLUT, Liqueur* und der Buchreihen *Mitschnitt* und *ESSAY*, Droschl, Graz. Buchveröffentlichungen: *ABSOLUT HOMER,* Graz 1995; mehrere Romane, u.a. *Almásy,* Innsbruck 2002; mehrere Essaybände, u.a. *Der Erzähler und der Cyberspace,* Innsbruck 1999. Die Novelle *Drei Männer,* Innsbruck/Wien 2004.

Anja HILL-ZENK

Dr. des. Anja Hill-Zenk, Jahrgang 1972. Seit 2004 Wissenschaftliche Mitarbeiterin in der Nachwuchsgruppe „Poetologische Reflexion" an der Universität Hamburg im Rahmen des Emmy Noether-Programms der Deutschen Forschungsgemeinschaft. Studium der Anglistik, Germanistik und evangelischen Theologie in Frankfurt a. M., Marburg und Canterbury, Großbritannien. 2004 Promotion in der Germanistik. Veröffentlichungen: Aufsätze zum Buchwesen im 16. Jahrhundert, z.B. The Salomon and Marcolphus woodcut in English sixteenth-century printing: Iconography and popular literature, in: *,Vir ingenio mirandus'. Studies presented to John L. Flood,* hg. von William J. Jones u.a., Göppingen 2003 (Göppinger Arbeiten zur Germanistik 710/1 u. 2), S. 559–577.

Gaby HOHM

Gaby Hohm, Jahrgang 1950. Seit 1980 bei der Stiftung Lesen. Studium der Pädagogik in Frankfurt a. M. Bei der Stiftung Lesen verantwortlich für „Programme und Projekte", d.h. Konzeptentwicklung, Kontakte mit und Akquisition von Sponsoren, Kampagnenkoordination, Presse- und Fernsehkontakte. Spezialisierung im Bereich der Leseförderung. Vortragstätigkeit zu verschiedenen Themenfeldern der Leseforschung und -förderung, z.B. in Bologna und Gent 2003; Kairo und Teheran 2004.

Sandra POTT

PD Dr. Sandra Pott, Jahrgang 1973. Seit 2003 Leiterin der Nachwuchsgruppe „Poetologische Reflexion" an der Universität Hamburg im Rahmen des Emmy Noether-Programms der Deutschen Forschungsgemeinschaft. Studium der Germanistik, Politologie, Philosophie und Kunstgeschichte in Hamburg; 1998 Promotion in der Germanistik; 2003 Habilitation. 2001–02 Junior Fellow am Institute of Germanic Studies der University of London; 2002–03 Professeur invité am Centre national de la recherche scientifique, Paris. Aufsätze und Buchveröffentlichungen, u.a.: *Reformierte Morallehren und deutsche Literatur von Jean Barbeyrac bis Christoph Martin Wieland*, Tübingen 2002; *Medizin, Medizinethik und schöne Literatur* (Säkularisierung in den Wissenschaften seit der Frühen Neuzeit 1), Berlin / New York 2002; *Poetiken. Poetologische Lyrik, Poetik und Ästhetik von Novalis bis Rilke*, Berlin / New York 2004.

Reinhold SCHULZE-TAMMENA
Reinhold Schulze-Tammena, Jahrgang 1964. Seit Januar 2002 als Educational Adviser am Goethe-Institut London tätig, zuständig für Maßnahmen zur Förderung der deutschen Sprache und deutschsprachiger Kultur in Großbritannien. Studium der Germanistik, Wirtschafts- und Sozialgeschichte und Hispanistik in Tübingen. Studienrat für Deutsch und Geschichte in Baden-Württemberg; 1995–98 Mitarbeiter an der Akademie für Technikfolgenabschätzungen Baden-Württemberg und am Ethikzentrum der Universität Tübingen.

Karin SOUSA
Dr. des. Karin Sousa, Jahrgang 1973. Seit 2000 Doktorandin am Institute of Germanic Studies der University of London mit einer Arbeit über Heinrich Heines *Buch der Lieder*. Studium der Schul- und Kirchenmusik und Germanistik in Hannover, Paris und Birmingham, Großbritannien. Veröffentlichungen: ‚Wie ein Herz und eine Seele'. Möglichkeiten im Umgang mit autobiographischem Material am Beispiel der Ehe-Tagebücher von Clara und Robert Schumann, in: *Resounding Concerns*, hg. von Rüdiger Görner, München 2003, S. 71–85; Wahrheit und Widersprüche in Heinrich Heines *Buch der Lieder,* in: *Heine-Jahrbuch,* 42. Jg. (2003), S. 73–87; ‚*Schlage nur eine Weltsaite an …'. Briefe Robert Schumanns* (Mhg.), erscheint 2006 beim Insel Verlag.

Olga ZITZELSBERGER
Dr. Olga Zitzelsberger, Jahrgang 1964. Seit 2002 Wissenschaftliche Leitung des Praxislabors am Institut für Allgemeine Pädagogik und Berufspädagogik der Technischen Universität Darmstadt. Chemielaborantin; Studium Sozialwesen in Würzburg; Soziologie, Volkswirtschaft und Pädagogik in Darmstadt; 2000 Promotion in der Pädagogik. 2000–01 Wissenschaftliche Mitarbeiterin im Projekt der Deutschen Forschungsgemeinschaft „Was bleibt? Spuren des literarischen Unterrichts in der Lesegeschichte und Medienpraxis von HauptschulabsolventInnen" an der Universität Frankfurt. Buchveröffentlichungen u.a.: Hypatia e.V.: *Dokumentation des 25. Kongresses von Frauen in Naturwissenschaft*

und Technik, Darmstadt 2000 (Redaktion mit Helga Zeidler); *Zur Janusköpfigkeit von Edukation. Ingenieurstudentinnen in ko- und monoedukativer Bildung. Eine vergleichende Untersuchung an der EPF,* Frankfurt 2001.